Collection
Les fourmis rouges dans nos sommeils

# Femmes du Crépuscule

91, boulevard Port Royal, 75013 Paris
http://www.alfabarre.com
editions@alfabarre.com

ISBN 978-2-35759-017-5
EAN 978235759017-5

Evelyne Accad

# Femmes du Crépuscule
## Women of the Twilight

Nouvelles
Short Stories

Prologue Michèle Ramond
Translation/traduction Cynthia T. Hahn
Drawings/Dessins Jay Zerbe

alfAbarre

# Selected Works of the Author

L'Excisée/The Excised, new translation by Cynthia Hahn, bilingual critical edition with introductions and notes. Paris: L'Harmattan, 2009.

*Femmes du Crépuscule.* Paris : L'Harmattan, 2001.

*The Wounded Breast : Intimate Journeys through Cancer.* Melbourne : Spinifex Press, Available as ebook through Spinifex, 2006.

*Voyages en Cancer* (Préface Yves Velan). Paris : L'Harmattan, Tunis : Aloès, Beirut : An-Nahar, 2000. Prix Phénix, 2001.

*Blessures des Mots : Journal de Tunisie,* Paris : Côté femmes, 1993). Edition anglaise : *Wounding Words : A Woman's Journal in Tunisia.* London : Heinemann, 1996.

*Des femmes, des hommes et la guerre : Fiction et réalité au Proche-Orient.* Paris : Côté femmes, 1993. Edition espagnole : *Sexualidad y Guerra.* Indigo ediciones, 1997. Prix ADELF : France-Liban, 1993.

*Sexuality and War : Literary Masks of the Middle East.* New York : NYU Press, 1990. Paperback edition, 1992.

*Coquelicot du massacre.* Paris : L'Harmattan, 1988. Edition bilingue, traduction anglaise et préface de Cynthia Hahn, *Poppy from the massacre.* Paris : L'Harmattan, 2006.

*Contemporary Arab Women Writers and Poets,* avec Rose Ghurayyeb. (Monographie). Beirut : IWSAW, 1986.

*L'Excisée.* Paris : L'Harmattan, 1982 (deuxième édition 1992). (Première traduction anglaise. Washington : Three Continents Press, 1989, Deuxième édition, *The Excised,* avec introduction de l'auteur, 1994). Edition allemande : *Die Beschnittene.* Bonn: Horlemann Verlag, 2001.

*Montjoie Palestine! or Last Year in Jerusalem* (édition bilingue, traduction du poème dramatique de Noureddine Aba avec introduction et notes.) Paris : L'Harmattan, 1980. Deuxième édition bilingue augmentée avec *It Was Yesterday Sabra and Shatila* (traduit par Cheryl Toman), 2004.

*Veil of Shame : The Role of Women in the Modern Fiction of North Africa and the Arab World.* Sherbrooke : Naaman, 1978.

## Du même auteur

*The Wounded Breast : Intimate Journeys through Cancer.* Melbourne : Spinifex Press, 2001.

*Voyages en Cancer* (Préface Yves Velan). Paris : L'Harmattan, Tunis : Aloès, Beirut : An-Nahar, 2000. Prix Phénix, 2001.

*Blessures des Mots : Journal de Tunisie*, Paris : Côté femmes, 1993). Edition anglaise : *Wounding Words : A Woman's Journal in Tunisia* . London : Heinemann, 1996.

*Des femmes, des hommes et la guerre : Fiction et réalité au Proche-Orient.* Paris : Côté femmes, 1993. Edition espagnole : *Sexualidad y Guerra.* Indigo ediciones, 1997. Prix ADELF : France-Liban, 1993.

*Sexuality and War : Literary Masks of the Middle East.* New York : NYU Press, 1990. Paperback edition, 1992.

*Coquelicot du massacre.* Paris : L'Harmattan, 1988. Edition bilingue, traduction anglaise et préface de Cynthia Hahn, *Poppy from the massacre.* Paris : L'Harmattan, 2006.

*Contemporary Arab Women Writers and Poets*, avec Rose Ghurayyeb. (Monographie). Beirut : IWSAW, 1986.

*L'Excisée.* Paris : L'Harmattan, 1982 (deuxième édition 1992). (Première traduction anglaise. Washington : Three Continents Press, 1989, Deuxième édition, *The Excised*, avec introduction de l'auteur, 1994). Edition allemande : *Die Beschnittene.* Bonn: Horlemann Verlag, 2001.

*Montjoie Palestine! or Last Year in Jerusalem* (édition bilingue, traduction du poème dramatique de Noureddine Aba avec introduction et notes.) Paris : L'Harmattan, 1980. Deuxième édition bilingue augmentée avec *It Was Yesterday Sabra and Shatila* (traduit par Cheryl Toman), 2004.

*Veil of Shame : The Role of Women in the Modern Fiction of North Africa and the Arab World.* Sherbrooke : Naaman, 1978.

Evelyne Accad a obtenu

Prix International de Poésie Emmanuel Roblès, 2006

Nominated as International Writer of the Year, 2003
(IBC, Cambridge)

le Prix Phénix, 2001

International Programs and Studies Award, University of Illinois,
1992-93 and 1993-94

le Prix ADELF : France-Liban, 1993

Study of Cultural Values and Ethics Program Award, fall 1992

Delta Kappa Gamma Society International Eductor's Award,
for book *Veil of Shame*, 1979

Special Recognition Award from the Illinois Arts Council Creative
Writing Fellowship, Chicago, Illinois, 1979

Nominated to Outstanding Young Women of America for 1978

Florence Howe Award (Honorable Mention) for essay:
"New Feminist Consciousness Among Arab Women Novelists."
W.C.M.L.A., 1975

Foreign Student Scholarship and Grant-in-Aid
from Anderson College, Indiana, 1965-67

First Prize in French Literature from Collège Protestant Français,
Beirut, Lebanon, 1962

*Ce qui définit d'une manière singulière la situation de la femme, c'est que, étant comme tout être humain, une liberté autonome, elle se découvre et se choisit dans un monde où les hommes lui imposent de s'assumer comme l'Autre : on prétend la figer en objet et la vouer à l'immanence puisque sa transcendance sera perpétuellement transcendée par une autre conscience essentielle et souveraine. Le drame de la femme c'est ce conflit entre la revendication fondamentale de tout sujet qui se pose toujours comme l'essentiel et les exigences d'une situation qui la constitue comme inessentielle.*

*What defines the particular situation of women is that while remaining a free agent, like any human being, she discovers and makes choices in a world where men impose upon her a state of Otherness: she becomes a fixed and unchanging object as her transcendence will be perpetually transcended by another complete and sovereign consciousness. The drama of woman consists of this conflict between the fundamental claim of every subject that puts itself forth as complete and the demands of a situation perceiving her to be incomplete.*

Simone de Beauvoir

*La violence engendre la peur dans les cœurs et les esprits des femmes, les rendant toujours plus obéissantes, aptes à se plier aux moindres pressions, à accepter leur destin sans la moindre résistance, sans changement. Cela affecte les femmes plus que les hommes parce qu'elles sont dominées par les hommes, dans la violence exercée au sein de la famille, au travail, dans la vie publique, dans les institutions religieuses. La peur est l'accoucheur de l'esclavage. Pauvreté et violence alimentent une frayeur encore plus grande chez les femmes. L'insécurité économique, la lutte pour la survie n'alimentent pas seulement la peur, elles occupent l'esprit, épuisent l'énergie, la vitalité. Il ne reste plus de temps pour faire autre chose que lutter, résister, s'organiser.*

*Violence engenders fear in the hearts and minds of women, rendering them still more obedient, apt to bend under the least amount of pressure, to accept their destiny without the least amount of resistance, without change. This affects women more than men because they are dominated by men, in the violence perpetrated in the heart of the family, at work, in public life, within religious institutions. Fear gives birth to slavery. Poverty and violence feed a still greater fear within women. Economic insecurity, the struggle for survival, not only nourish fear but they occupy the mind, drain energy, vitality. There is no more time to do anything but struggle, resist, organize.*

Nawal El Saadawi

# Translators' Note

In Fall 2008, having already taught and translated some of Evelyne Accad's novels, I decided to offer my French students at Lake Forest College in Illinois, the experience of collaborating with Accad and me in the translation of her latest collection of short stories, *Femmes du crépuscule* (L'Harmattan, 2008). After working through a group translation of the story, "A Vibrant Woman," ("Une femme vivante") and after each of my students had tried their hand at translating one of Accad's stories, the author came to class for a one-week workshop and together we examined issues of cultural context, verb tense, connotations, language register, consistency of narrative voice, word choice and specific questions the students had as they wrestled with their chosen text. The discussion was enriching, and we all gained a better understanding of the translation process and the importance of understanding context in order to choose the most appropriate linguistic means to communicate it. After reworking the student drafts in order to render greater consistency in the narrative voice across the volume, and after translating the last story, I submitted the text to Accad for final comments. I am happy to list here the names of my students and their chosen story in order to give them credit for their substantive contribution to the successful rendering of this work: Grace Dunford ("Serpent Woman"), Jeanne Engelkemeir ("Air Hostess: You and Me"), Emma Jo Chalverus ("A Woman Who Wants to Live"), Morgan Easter ("Desire For a Child"), Emily Capettini ("The Hijacker"), Sara Stephan ("The Kurdish Servant"), Samantha Hartwig ("The Woman Who Cried Every Morning"), Fabricio Sordoni, ("Sacrificial Woman"), French 317 class collaboration ("A Vibrant Woman"), Cynthia Hahn ("Sexual Education and Moral Instruction"). Thanks must also go to Lake Forest College, which provided me with a research grant to support this project. And finally, I am pleased that artist Jay Zerbe has allowed us to feature his work in this edition, and wish to thank Felicia Ferguson who graciously gave her consent for the reproduction of three of Jay Zerbe's drawings from her personal collection.

# Note de la traductrice

En automne 2008, après avoir déjà enseigné et traduit certains romans d'Evelyne Accad, j'ai décidé d'offrir l'expérience d'une traduction collaborative à mes étudiants en français à Lake Forest College en Illinois; ils ont collaboré avec Accad et moi sur la traduction de son dernier recueil de nouvelles, *Femmes du crépuscule* (L'Harmattan 2008). Après avoir fait l'essai d'une traduction en groupe de la nouvelle, "Une femme vivante" ("A Vibrant Woman"), et après que chacun de mes étudiants a fait une traduction d'une des nouvelles d'Accad, l'auteur est venue en classe pour faire un atelier de traduction qui a duré une semaine. Ensemble nous avons examiné des aspects tels que le contexte culturel, les temps verbaux, les connotations, le registre de langage, la cohérence de la voix narrative, le choix des mots et des questions précises concernant les textes choisis. Notre discussion fut enrichissante et nous avons tous mieux compris le processus de la traduction et l'importance de la compréhension contextuelle dans les choix des moyens linguistiques convenables à la communication de ce contexte. Après avoir retravaillé les premières versions soumises par mes étudiants, afin de donner une plus grande cohérence à la voix narrative à travers les textes du volume, et après avoir traduit la dernière nouvelle, j'ai soumis le texte entier à Accad pour ses commentaires. Je tiens à nommer ici les noms de mes étudiants et le nom du texte traduit afin de leur attribuer leur part méritée dans la réussie de cette oeuvre: Grace Dunford ("Serpent Woman"), Jeanne Engelkemeir ("Air Hostess: You and Me"), Emma Jo Chalverus ("A Woman Who Wants to Live"), Morgan Easter ("Desire For a Child"), Emily Capettini ("The Hijacker"), Sara Stephan ("The Kurdish Servant"), Samantha Hartwig ("The Woman Who Cried Every Morning"), Fabricio Sordoni, ("Sacrificial Woman"), French 317, collaboration ("A Vibrant Woman"), Cynthia Hahn ("Sexual Education and Moral Instruction"). Je tiens aussi à remercier Lake Forest College pour le soutien qu'il a apporté à ce projet. Et je suis ravie que l'artiste Jay Zerbe ait accepté de contribuer plusieurs oeuvres à cette édition et je remercie Felicia Ferguson pour l'accord de reproduire trois dessins de Jay Zerbe qui figurent dans sa collection d'art.

*A la mémoire de Paul l'aimé*
*To the memory of Paul the beloved*

# Prologue

Women of the dawn or of evening twilight ? Do these captivating heroines proclaim the darkness that threatens our humanity which cares little for its outcasts, or rather a new day for this humanity still in its adolescence with regard to the ever urgent and debated equality between the sexes, fraternity between men and women, and social justice in a world that oppresses women, that excludes them from power and from places where decisions are made, and that, from the time of Eve and Pandora, ladens them with all the disgraces of society ?

With her wide cultural knowledge and in her poetic vein, Evelyne Accad overcomes all the pitfalls of the so-called literature of « engagement » ; she transforms the daily sorrows experienced by women in every corner of the world that she has seen into myths, from the U.S. (Indiana), to Germany (Frankfurt), from Lebanon (Beirut) to France (Paris) and across these states or cities where she confronts many realities, the reality of Blacks, Palestinians, Christians, Muslims, Jews, moral prejudices, the harsh reality of Armenian, Palestinian, Syrian, Libyan and Kurdish camps, physical and moral misery, social and political oppression, violence done to women, such as to the Kurdish servant killed by her husband's kicks, in front of her horrified children, the daily life of a country or city at war. Harsh to the poor, the banished, the marginal, refugees, displaced or dominated people, society is generally harsh to all women, whatever their conditions, through its system, its precepts, its taboos and its laws. Within these ten stories, the women, while depicted in very different geographic, economic and religious contexts, become a symbol of heroism affronting the worst kind of evils against which human beings struggle, trying despite everything to live (or survive) and if possible, to create.

This aptitude of Evelyne Accad's heroines to represent human beings in all their ethical splendor and daily courage makes all of them women, naturally, but also literary figures armed with a strong power of suggestion. Each one reconnects, individually as well as all taken together, with a mythical core that is politically and poetically renewed. It is impossible not to associate Melusine with the serpent woman of the first story, to women devoted to Bacchus or maenads, all these heroines that regain life and hope in the dance, this kind of blossoming as worthy as any artistic form, where utopia takes shape and where traumas and torments are transcended. Let us also hail these new Amazon women who are warriors (Soumaya), this form of sainthood that is the renunciation of sexual pleasure (Micheline) for another form of ecstasy, vaguely Christlike, and which we could call altruistic, and politically active, that attempts to evade terrifying dreams. Let's recognize as well this new Judith called « D. » in the « woman with the will to live », or that new Emma Bovary in Sally, whose dreams are higher than the walls of her Midwestern house.

The torn Middle East that strives for the utopian dream and for the project of creation, and that miserable Indiana, flat and doleful, where one would recognize the ills of our triumphant, selfish modernity, comprise the two sides of this « suite », very much still alive, realistic and also metaphorical. This collection of stories by Evelyne Accad fully deserves this musical and poetic distinction, the text composes a « suite », in the fullest sense of the word. The anecdote that we could call feminist, is ever present, through which emerges a political and existential moral whose decisiveness and clarity are appreciated, while it also remains open to the mystery of a more obscure text. Signaled by a change in font, this inspired writing recalls sacred texts deeply rooted in our cultures. Beyond the daily struggles, the failures and small successes of the heroines, the oratory strength of an all powerful feminine subject is manifested here ; its bright spark spreads throughout the text and transforms it into a heady, musical poem of unlimited depth. Internal monologue, prophetic words, apocalyptic utterances, enigmatic vision, these dark passages embedded within the clearer and more realistic story, lend the entire volume of short stories a metaphorical virtue whose inexhaustible meaning captivates us. The sound of its music definitively replaces that of the words and the whole reading process is modified by it ; we float between two bodies of water, between the wave of the intelligible waters of the feminist fable and that of the original waters as beautiful as fruit trees in the Orient. Happy are Evelyne Accad's readers, those invited to the bridging of the waters!

Michèle Ramond

# Prologue

Femmes du crépuscule du soir ou plutôt du matin ? Annoncent-elles, ces attachantes héroïnes d'Évelyne Accad, la nuit qui menace notre humanité trop indifférente aux exclus, ou plutôt un jour nouveau pour cette humanité encore adolescente dans les domaines urgents et si débattus de l'égalité entre les sexes, de la fraternité entre les hommes et les femmes et de la justice sociale dans un monde qui opprime les femmes, qui les exclut du pouvoir et des lieux décisionnaires et qui, depuis Ève et Pandore, les accable de tous les opprobres ?

Par sa grande culture et sa veine poétique Évelyne Accad surmonte tous les écueils de la littérature dite « engagée », elle transforme en mythes les malheurs quotidiens vécus par les femmes dans toutes les parties du monde qu'elle a parcourues, les États-Unis (l'Indiana), l'Allemagne (Francfort), le Liban (Beyrouth), la France (Paris) et à travers ces états ou ces villes elle affronte bien des réalités, la réalité noire, la réalité palestinienne, la réalité chrétienne, musulmane ou juive, les préjugés moraux, la dure réalité des camps de réfugiés arméniens, palestiniens, syriens, libyens, kurdes, la misère physique et morale, l'oppression sociale et politique, les violences faites aux femmes comme à cette servante kurde tuée à coups de pied par son mari devant ses enfants horrifiés, le quotidien d'un pays ou d'une ville en guerre. Violente pour les pauvres, les bannis, les égarés, les réfugiés, les déplacés, les dominés, la société l'est généralement pour toutes les femmes, quelles que soient leurs conditions, par son fonctionnement, ses préceptes, ses tabous et ses lois. La femme devient tout au long de ces dix nouvelles, qui pourtant la captent dans des contextes géographiques, économiques et religieux très différents, un symbole de l'héroïsme en butte à tous les pires maux parmi lesquels les humains se débattent, tentant malgré tout de vivre (ou de survivre) et si possible de créer.

Cette aptitude des héroïnes d'Évelyne Accad à représenter l'humain dans toute sa splendeur éthique et son courage quotidien fait d'elles toutes des femmes, bien sûr, mais aussi des figures littéraires dotées d'un grand pouvoir de suggestion. Chacune d'elles et toutes ensemble elles renouent avec un tréfonds mythique politiquement et poétiquement rajeuni. Impossible en effet de ne pas songer à Mélusine avec la femme serpent de la première nouvelle, aux bacchantes et aux ménades avec toutes ces héroïnes qui retrouvent vie et espoir dans la danse, cette forme d'épanouissement qui vaut pour toute forme artistique où l'utopie prend forme et où les traumatismes et les tourments se transcendent. Saluons aussi ces nouvelles amazones que sont les guerrières (Soumaya), cette forme de sainteté qu'est le renoncement au plaisir sexuel (Micheline) pour une autre forme d'extase, vaguement christique, et que nous pourrions appeler altruiste, et politiquement active, qui tente d'échapper aux songes terrifiants. Saluons encore cette nouvelle Judith appelée « D. » dans la « femme qui veut vivre », ou cette nouvelle Emma Bovary dans Sally qui rêve plus haut que les murs de sa maison du Midwest.

Le Proche Orient déchiré qui pousse au rêve utopique et au projet créateur, et l'Indiana maudit, plat et morne, où chacun reconnaîtra les maux de notre modernité égoïste triomphante, composent les deux versants de cette « suite » à la fois vivante, réaliste, et métaphorique. Le recueil de nouvelles d'Évelyne Accad mérite pleinement cette distinction musicale et poétique, il compose bien une « suite » au sens plein de ce terme. Constamment l'anecdote que nous pourrions qualifier de féministe, qui débouche sur une morale politique et existentielle dont on apprécie la détermination et la clarté, s'ouvre au mystère d'une écriture plus obscure. Signalée par un changement typographique cette écriture inspirée renoue avec les textes sacrés au fondement de nos cultures ; au delà des combats quotidiens, des faillites et des petites victoires des héroïnes, le pouvoir oraculaire d'un sujet féminin tout puissant ici se manifeste, son éclat se répand sur tout le texte et le transforme en un poème musical, grisant et insondable. Discours intérieur, parole prophétique, profération apocalyptique, vision énigmatique, ces parties sombres enchâssées dans le récit plus limpide et réaliste confèrent à tout le texte des nouvelles une vertu métaphorique dont le sens inépuisable nous captive. Le son de la musique remplace définitivement celui des mots et toute l'opération de la lecture s'en trouve modifiée, nous voguons entre deux eaux, le flot des eaux intelligibles de la fable féministe et celui des eaux originelles qui ont la beauté des arbres fruitiers de l'Orient. Heureux sont les lecteurs d'Évelyne Accad, ces invités au confluent des deux eaux !

Michèle Ramond

# La femme serpent
# Serpent woman

January 1960. Beirut tormented by sea winds. Doors and shutters clatter in the gusts, the rain streams into enormous pools of water difficult to cross. Windowpanes shatter, the wind blowing large swells everywhere. Trees bend to the breaking point in the storm.

*In his hand, there lay a small, open scroll, his face was resplendent like the sun, he placed his left foot upon the sea, his right upon the ground; the woman trembled; she writes, she is afraid lest she forget, to be shut in by the dragon which awaits outside.*

The trees along the sea continued to bend in the wind. Beirut was entering the sea. The Mediterranean encircled this piece of earth surrounding a hill that some called, "Little Mountain," taken from the title of a Lebanese novel. According to legend, the city had been submerged several times by tsunamis so powerful that it was wiped out, and reborn each time from these obliterations.

Should we believe the legend?

When one walks on the Corniche, sometimes giant waves fall upon the road and throw you a good distance. The shoreline sometimes even disappears under the waves. Then we think of the sea's destruction of Beirut.

*There was a great earthquake, a tenth of the city crumbled; seven thousand inhabitants disappeared under the rubble, they perished, the others were gripped by fear, the woman ran towards the sea, pulling behind her all the city's children she sought to save.*

Janvier 1960. Beyrouth tourmenté par les vents de la mer. Portes et persiennes claquent dans les rafales, la pluie ruisselle, énormes flaques d'eau difficiles à enjamber. Vitres qui volent en éclat, vent qui s'engouffre partout. Arbres qui se plient dangereusement dans la tempête.

*Il avait dans la main un petit rouleau ouvert, son visage resplendissait comme le soleil, il a posé le pied gauche sur la mer, le pied droit était sur la terre ; la femme a tremblé ; elle écrit, elle craint d'oublier, d'être enfermée par le dragon qui attend dehors.*

Les arbres qui bordent la mer ne cessent de se plier dans le vent. Beyrouth entre dans la mer. La Méditerranée encercle ce morceau de terre serré autour d'une colline que certains appellent « La petite montagne », titre qu'un auteur libanais a donné à un roman. La ville fut, dit la légende, plusieurs fois submergée par des tsunamis si puissants qu'elle en fut anéantie, renaissant chaque fois de ses engloutissements.

Doit-on croire la légende ?

Lorsqu'on se promène sur la corniche, parfois des vagues géantes s'abattent sur la route, et vous projettent au loin. Parfois même, le rivage disparaît sous les flots. On pense alors aux dévastations de Beyrouth par la mer.

*Il y eut un grand tremblement de terre, le dixième de la ville s'écroula ; sept mille habitants disparurent sous les décombres, ils périrent, les autres prirent peur, la femme courut vers la mer entraînant derrière elle tous les enfants de la ville qu'elle cherchait à sauver.*

Hoda thinks she is a serpent. As soon as her husband and children leave for work and school, she returns to the bedroom, undresses before the tall armoire mirrors, puts on a record, always the same, maybe forty times in one morning. A hit melody...with its guttural sounds, "See you later, alligator," interrupted by guitar wails, the scratching of the old record on the worn out turntable.

She dances in the cold morning. She doesn't feel her body. She looks in the mirror, her large eyes fixed on her serpent body that undulates, rolls, slides, twists. She is the serpent from before the fall, before the curse. She straightens and twirls. She loses all sense of the moment and of time. She dances and dances to forget her unhappiness.

For a whole week, her neighbors hear the noise, see her underwear and bra hanging brazenly from the shutters. A woman sees the pink, fleshy body contorting itself, men watch the performance in utter disbelief.

A neighbor decides to speak to Hoda. She rings the door-bell.

Hoda slips on a transparent nightdress; on tiptoe she runs to open, invites the woman into the dining room. She swirls around, offering pink candies and dried fruits. The neighbor refuses, then, so as not to annoy Hoda, to respect customs and hospitality, she takes a piece of candy; Hoda stares at her so intensely that the woman is uncomfortable. Hoda bites into a pear-shaped fruit paste, as she twists her body.

Surprised by Hoda's shameless attitude, the neighbor asks:

"Is everything alright?"

Hoda pense qu'elle est un serpent. A peine son mari et ses enfants partis pour le travail et l'école, elle retourne dans la chambre à coucher, se déshabille face aux hautes glaces de l'armoire, fait tourner un disque sur le phonographe, toujours le même, quarante fois peut-être dans la matinée. Mélodie à la mode... sons gutturaux du « See you later alligator » entrecoupés des crissements de la guitare, des grincements du vieux disque et du tourne-disque épuisé.

Elle danse dans le matin froid. Elle ne sent pas son corps. Elle regarde dans la glace ses grands yeux fixes dans son corps de serpent qui ondule, s'enroule, glisse, se contorsionne. Elle est le serpent d'avant la chute, d'avant la malédiction. Elle se dresse et pirouette. Elle perd la notion de l'heure et du temps. Elle danse, danse pour oublier ses malheurs.

Une semaine durant les voisins entendent la rengaine, voient le slip et le soutien-gorge pendre, insolites, aux volets. Une femme aperçoit le corps rose, bien en chair qui se contorsionne, des hommes regardent le spectacle et se rincent l'œil.

Une voisine décide de parler à Hoda. Elle sonne à sa porte.

Hoda enfile un peignoir transparent ; sur la pointe des pieds, elle court ouvrir, fait entrer la femme dans la salle à manger. Elle sautille, offre des bonbons roses et des fruits confits dorés. La voisine refuse, puis, pour ne pas vexer Hoda, pour respecter les coutumes de l'hospitalité, elle prend un bonbon ; Hoda la fixe dans les yeux avec tant d'intensité que la femme est gênée. Hoda croque dans une pâte de fruits en forme de poire en se contorsionnant.

Surprise par l'attitude insolite de Hoda, la voisine interroge :

— Tout va bien ?

"Yes, very well. And you? Would you care to dance with me? Come into my room, I'll show you how. Then, seeing the fear on her neighbor's face, she turns around. Here, take this nougat, I'll make some coffee."

"No, Hoda. I don't want any coffee. I came over to talk to you. The neighborhood is complaining about your music that's too loud; I can't take it any longer, the sounds, the noise, the tapping above my head all morning long."

Hoda is not listening. Elbows on the table, head in her hands, she looks at her neighbor. Her eyelids weigh heavily upon her eyes. Eyes half-closed, she attempts to hypnotize her visitor who is becoming more and more uneasy. Her breasts shake under the transparent gauze, her sex is visible during her excessive undulations. Her neighbor's gaze is filled with horror and she flees the room.

Her husband is told.

He will send his wife to an asylum for four months. He is used to it. Every two or three years, he sends her for treatment. They submit her to electric shocks, they stuff her with tranquillizers and other medicine that knocks her out; she refuses and they force her to take them! This year, Hoda cries out, screams that she will not return to the crazy house, that she wants to join the other serpents in the jungle. "The insane asylum" in Lebanon is called *Asfourieh* (birdcage). Hoda doesn't want to enter a birdcage, she is afraid she might want to devour those animals she loves above all left in total freedom!

— Oui, très bien. Et vous ? Voulez-vous danser avec moi ?
Venez dans la chambre, je vais vous montrer comment il faut
s'y prendre.

Puis, devant le regard effrayé de la voisine, elle fait volte-
face. Tenez, prenez ce nougat, je vais faire du café.

— Non, Hoda. Je ne veux pas de café. Je suis venue pour
vous parler. Le quartier se plaint de cette musique trop forte ;
je ne supporte plus ni les sons, ni le bruit, ni les piétinements
au-dessus de ma tête toute la matinée.

Hoda n'écoute pas. Elle s'accoude à la table, la tête dans les
mains, regarde sa voisine. Ses lourdes paupières retombent
sur ses yeux. Les yeux mi-clos, elle tente d'hypnotiser sa visi-
teuse de plus en plus mal à l'aise. Ses seins oscillent sous la
mousseline transparente, elle découvre son sexe dans des
ondulations intempestives. Le regard de la voisine se remplit
d'horreur, elle fuit la pièce.

Le mari est prévenu.

Il enverra sa femme à l'asile pour un séjour de quatre mois.
Il a l'habitude. Chaque deux ou trois ans, il l'envoie pour un
traitement. On la soumet à des électrochocs, on la bourre de
calmants et d'autres médicaments qui l'assomment ; elle les
refuse, on la force à les prendre ! Cette année, Hoda crie, hurle
qu'elle ne retournera pas dans la maison des fous, qu'elle veut
rejoindre les autres serpents dans la jungle. "L'asile de fous" au
Liban s'appelle Asfourieh (la cage aux oiseaux). Hoda ne veut
pas aller dans une cage à oiseaux, l'envie lui prendrait de
dévorer ces animaux qu'elle aime par-dessus tout, en liberté !

One of Hoda's daughters tries to prevent her mother from being committed; she understands her suffering. She talks to her father, calls upon his compassion, his sense of family. The man really doesn't know how to love this unusual woman, he married her too young, a marriage arranged by family. He didn't know how to initiate her into sexual love, into tenderness and sexuality; he didn't know much either, wasn't mature enough for marriage, had been raised too strictly by a very harsh father he longed to escape, without knowing how. Too brusque, sometimes even violent, his behavior turned her against sexual relations. She experienced these imposed relations as assaults, painful penetrations she refused.

After each childbirth, she sank a bit more into a state of derangement, her way of revolting against her woman's condition, against repeated rapes, against these pregnancies she didn't want. And yet, she had loved every one of these small beings that had come from her, had pampered them, perhaps overly spoiled them in order to compensate for the affection and love she lacked.

Very quickly she once again sank into her world that others perceived as crazy. In her world, she found a freedom refused by the external world. She traveled to extraordinary countries, took on different personae, animal or human.

The man feels a rigid sense of duty; he fears what others might say. His life is compartmentalized: on the one hand, this sick woman, mother of his children, for whom he has responsibility, on the other hand, his work into which he pours himself, to earn a living for his family. There is also the red light district that he visits from time to time, to soothe his urges. This doesn't prevent him from forcing his wife into sex when he feels the need; she sees these aggressions as cruelty and sinks deeper into her world of fantasy and insanity.

L'une des filles de Hoda tente d'empêcher l'enfermement de sa mère ; elle comprend sa souffrance. Elle parle au père, fait appel à la compassion, au sens de la famille. L'homme ne sait pas vraiment comment aimer cette femme hors du commun, il l'a épousée trop jeune - mariage arrangé par les familles. Il n'a pas su l'initier à l'amour sexuel, à la tendresse et à la sensualité ; lui non plus ne savait pas, n'était pas mûr pour le mariage, avait été élevé trop sévèrement par un père trop dur dont il cherchait à se libérer sans savoir comment. Trop brusque, voire quelques fois violent, il l'a braquée contre les rapports sexuels. Elle a vécu ces relations qu'il lui imposait comme des agressions, des pénétrations douloureuses qu'elle refusait.

Après chaque enfantement, elle sombrait un peu plus dans une sorte de folie, façon de se révolter contre sa condition de femme, contre des viols à répétition, contre des grossesses dont elle ne voulait pas. Pourtant elle avait aimé chacun de ces petits êtres sortis d'elle, les avait choyés, peut-être trop gâtés pour compenser son manque d'affection et d'amour.

Très vite elle sombrait à nouveau dans son monde que les autres percevaient comme folie. Dans son monde elle trouvait une liberté que le monde extérieur lui refusait. Elle voyageait alors dans des pays extraordinaires, se transformait en différents personnages, animaux ou humains.

L'homme a un sens rigide du devoir ; il craint le qu'en dira-t-on. Sa vie est compartimentée : d'un côte, cette femme malade, mère de ses enfants dont il a la responsabilité, de l'autre le travail dans lequel il s'enfonce pour oublier et gagner la vie de la famille. Il y a aussi le quartier des prostituées, de temps à autre, il va y chercher un moment d'apaisement des sens. Ce qui ne l'empêche pas de forcer sa femme à l'acte sexuel quand il en éprouve le besoin ; elle ressent ces agressions comme des cruautés et s'enfonce davantage dans son monde de folie et de fantasmes.

The man refuses to listen to his daughter. He fears she will turn into her mother. He must take matters in hand, restore order to his home and society. He makes his wife get into the car as he used to force her into the sexual act, with undesired and unaccepted penetrations. He brings her to the mountains, to white, sterile buildings that are far from resembling bird-cages. They look more like a large prison.

She will be locked in a room without mirrors or turntable; she will receive electric shocks, her passionate body and ill mind will be shaken by a violent therapy. She will have to swallow an enormous quantity of multi-colored pills that knock her out and make her passive.

A few months later, she will leave, weighed down, anxious, chain-smoking, a nervous tic at the corner of her mouth. She will no longer claim to be a serpent. She will no longer dance on cold mornings in Beirut, her naked body undulating in front of the mirror. Her feet will no longer tap the floor. Music will no longer be heard through the window, announcing to neighbors the unusual spectacle of her imaginary travels.

*May the one with intelligence calculate the number of the wild beast, for it is the number of a man; may the one with ears hear and listen to the rolling waves upon the open sea.*

L'homme refuse d'écouter sa fille. Il craint qu'elle devienne comme la mère. Il doit prendre les choses en main, restaurer l'ordre dans la maison et dans la société. Il force sa femme à monter dans la voiture comme il la force à l'acte sexuel, pénétrations non choisies, non acceptées. Il l'emmène dans la montagne, dans les bâtiments blancs et impersonnels qui sont très loin d'évoquer des cages à oiseaux. Ils ont plutôt l'allure d'une grande prison.

Elle sera enfermée dans une chambre sans miroirs et sans tourne-disque, elle recevra des chocs électriques, son corps passionné et son cerveau malade seront secoués par une thérapie violente. Elle devra avaler une quantité impressionnante de pilules multicolores qui l'assommeront et la rendront passive.

Quelques mois plus tard, Elle en ressort alourdie, nerveuse, fumant sans cesse, un tic nerveux au coin de la bouche. Elle ne dit plus qu'elle est serpent. Elle ne danse plus dans les matins froids de Beyrouth, le corps nu ondulant face aux miroirs. Ses pieds ne frappent plus le sol. La musique ne se répand plus répand plus par la fenêtre, annonçant aux voisins le spectacle insolite d'un voyage imaginaire.

*Que celui qui a l'intelligence calcule le nombre de la bête sauvage, car c'est un nombre d'homme, que celui qui a des oreilles écoute et entende les bruits de la mer et du large.*

# L'hôtesse de l'air :
# Toi et Moi
# Air hostess: You and Me

May 1963. Beirut's airport. A constant coming and going of airplanes, passengers, tourists, merchandise. Incessant movement above and in the city. Roar of aircraft that makes the buildings tremble. Residents troubled in their sleep. Ears that buzz. Every three minutes, an airplane! Beirut vibrates with life and prosperity! Twenty years of independence, that's nothing. The Lebanese Miracle! Switzerland of the Middle East! The jealousy of neighboring countries. Lebanon, country of the good life, where life is good. Fratricidal war hasn't yet made its way here. Lebanon isn't yet a major geopolitical stake in the region! This season, the sea is beautiful, the sky shines, waiting for summer.

I was in the Caravelle's galley kitchen, counting the lunch trays. You arrived with Miss Vera, the head of the air hostesses, pale, hardly made up, very cute in a brand new uniform, you smiled shyly at me.

Miss Vera asks me to take care of you, to explain the cabin service to you, the new one. She inundates you with a multitude of things to do, thousands of details that get all mixed up in your head. You blush at the sound of her sharp tone, your body clenched before her ever urgent demands. I wonder if you are going to be okay.

Miss Vera leaves, I entrust you with the sweets and the fruit and ask you to check that the cabin and toilets are all clean. You attend to these tasks with grace and attention. When the passengers begin to enter you seem to me to have lost your shyness. You stand straight, without stiffness, your white-gloved hands arranging coats and bags in the overhead compartments. You help a mother settle her child, you extend a luminous smile to all. When you pass out the candies, I notice that your charm and your courtesy have conquered the passengers' hearts. They are comfortable, reassured by your sweet and friendly presence.

Mai 1963. Beyrouth, l'aéroport. Va-et-vient constant d'avions, de passagers, de touristes, de marchandises. Animation incessante au-dessus et dans la ville. Vrombissement des appareils qui fait trembler les immeubles. Habitants troublés dans leur sommeil. Oreilles qui bourdonnent. Toutes les trois minutes, un avion ! Beyrouth vibre de vie et de prospérité ! Vingt ans d'indépendance, ce n'est rien. Miracle libanais ! La Suisse du Proche-Orient! Jalousie des pays voisins. Liban, pays de la dolce vita, il y fait bon vivre. La guerre fratricide n'est pas encore passée par là, Le Liban n'est pas encore un enjeu géo-politique majeur dans la région ! En cette saison, la mer est belle, le ciel brille dans l'attente de l'été.

J'étais dans le « galey » de la Caravelle, je comptais les plateaux du déjeuner. Tu es arrivée avec Miss Vera, la directrice des hôtesses. Tu étais pâle, à peine fardée, très mignonne dans un uniforme tout neuf, tu me souris d'un air timide.

Miss Vera me demande de m'occuper de toi, de t'expliquer le service : tu es nouvelle. Elle t'inonde de la multitude des choses à faire, de mille détails qui s'embrouillent dans ta tête. Tu rougis aux sons de sa voix dure, ton corps se crispe devant ses injonctions toujours plus pressantes. Je me demandais si tu allais tenir.

Miss Vera partie, je te confie les bonbons et les fruits et te demande de vérifier la propreté de la cabine et des toilettes. Tu t'acquittes de ces tâches avec grâce et attention. Lorsque les passagers commencent à entrer, tu me parais avoir perdu ta timidité. Tu te tiens droite, sans raideur, tes mains gantées de blanc arrangent manteaux et sacs dans les coffres. Tu aides une mère à installer son enfant, tu souris à chacun d'un sourire lumineux. Lorsque tu passes avec les bonbons, je remarque que ton charme et ta courtoisie ont conquis le cœur des passagers. Ils sont à l'aise, rassurés par ta présence douce et amicale.

The airplane takes off. Seated next to me, I feel a new stiffness in you. You turn to me with a frown; I understand the question you want to ask me: "Am I also scared?" I would like to tell you that after three hundred and fifty take offs, you won't feel anything, but after thinking about it, I'm not sure I can.

We are now in midair, we have to serve the meals. With dexterity, you take the trays that I pass to you and you carefully place them before each passenger. I see you bend under the load and your legs wobble, not well prepared for shaky ground. You don't complain. You serve everyone with enthusiasm and good humor; not even the most demanding of passengers makes you impatient. You go from one to the other with ease and kindness.

Once the cabin service is finished, I ask you to go to the front to see if the crew needs anything, if they want to eat. You're late coming back. I have a bad feeling and I hurry to the cockpit. The engineer is blocking the door, while the copilot caresses your arms, and the pilot is saying obscene things. You resemble a trapped bird, your agonizing look calls for help. I order the men to stop, I pull you from their hold and drag you toward the back. They let us go, but not without declaring that they had to initiate such a beautiful newcomer to the great big world of the company!

A little later, the cabin is calm, the passengers are sleeping, playing, reading. You ask me if they always treat the new hostesses in this way. "Not really! They're not all like that, this crew has a reputation for being bawdy playboys ! They wanted to see how far they could go with you and if you would give in easily to their provocations." You don't seem to understand the meaning of my words. Your naivety and innocence surprise me again, as I have already lived through so many experiences and encounters. I would never let that happen, I say, I would have slapped whoever would have dared to put a hand on me without my consent.

L'avion décolle. Assise à côté de moi, je te sens à nouveau tendue. Tu te tournes vers moi avec une grimace ; je comprends la question que tu veux me poser : « Est-ce que, moi aussi j'ai peur ? » J'aurais voulu te dire qu'après trois cent cinquante décollages, tu ne sentirais plus rien, mais à réflexion, je ne suis pas sûre de pouvoir l'affirmer.

Nous sommes maintenant en plein ciel, nous devons servir les repas. Avec dextérité, tu prends les plateaux que je te tends et tu les poses avec attention devant chaque passager. Je te vois plier sous le fardeau et tes jambes, peu accommodées à un sol mouvant, vacillent. Tu ne te plains pas. Tu sers chacun avec allant et bonne humeur ; aucune demande, même de passagers exigeants, ne t'impatiente. Tu vas de l'un à l'autre avec aisance et gentillesse.

Le service terminé, je te demande d'aller à l'avant voir si l'équipage a besoin de quelque chose, s'ils souhaitent manger. Tu tardes à revenir. J'ai un pressentiment et me précipite dans le cockpit. Le mécanicien te barre la porte, le co-pilote te caresse les bras, tandis que le pilote dit des obscénités. Tu ressembles à un oiseau traqué, ton regard angoissé appelle à l'aide. J'ordonne à ces messieurs d'arrêter, je t'arrache à leur emprise et t'entraîne vers l'arrière. Ils nous laissent partir, non sans déclarer qu'il fallait bien initier une si belle nouvelle venue à la grande vie de la compagnie !

Un peu plus tard, la cabine trouve le calme, les passagers somnolent, jouent, lisent. Tu me demandes s'ils traitaient toujours les nouvelles hôtesses de cette façon. « Pas vraiment ! Ils ne sont pas tous comme ça, cet équipage est réputé bon vivant et gaillard! Ils voulaient voir jusqu'où ils pouvaient aller avec toi et si tu entrais facilement dans leur provocation. » Tu ne parais pas comprendre le sens de mes mots. Ton air naïf et innocent me surprend à nouveau, moi qui avais déjà vécu tant d'aventures et de rencontres. Je ne me serais pas laissée faire, dis-je, j'aurais envoyé une grande baffe à qui aurait osé mettre la main sur moi sans mon consentement.

We arrive in Frankfurt in the afternoon. Our rooms are reserved in a big hotel in the middle of town. You look like you're lost. You shyly ask me what I'm going to do in the evening. If you don't have anything else to do and don't know where to go, I propose that you join us, me and the other members of the crew, for dinner. At the mention of the crew, you cringe. I ask myself if you will have the courage to come with us. You seem frightened.

An hour later, you knock on my door. You seemed even younger and more innocent without your uniform, in your loose-fitting red dress that was like a big trembling flower around your very fine, pale face. As for me, I was already very brown, tanned by the sun of the Lebanese beaches that I frequented each vacation. The suntan, I thought, heightened my sex-appeal and made me "hot"! I had no shame, and wore really short, tight-fitting dresses, to better flaunt my seductive body, made for fun and sensual pleasures.

We found ourselves in a little restaurant where they served sauerkraut and Frankfurt sausages. I'd had a lot to drink before we'd even arrived, so the beer that we had with dinner made me drunk. An accordionist played sad songs from before the war. The pilot kept looking at me with desire and lust. From that moment on, I don't know anymore what I said and did. You were dreamlike in the haze of all the cigarette smoke. Your face seemed unearthly, encircled in a halo. The pilot recounted his first sexual experience, the first girl who had taken him to bed. She was Swedish, he was 15 years old, she was twice his age. Blonde and very beautiful, she had initiated him to sex and to orgasm. He would never forget her!

Nous arrivâmes à Francfort dans l'après-midi. Nos chambres sont réservées dans un grand hôtel du centre ville. Tu as l'air perdue. Tu me demandes avec timidité ce que je ferai dans la soirée. Si tu n'as rien d'autre à faire et ne sais où aller, te proposai-je, joins toi à nous, à moi et aux membres de l'équipage, pour dîner. A l'évocation de l'équipage, tu as un mouvement de recul. Je me demande si tu auras le courage de venir avec nous. Tu sembles effarouchée.

Une heure après, tu frappes à ma porte. Tu paraissais encore plus jeune et innocente sans ton uniforme, dans ta robe rouge large comme une grosse fleur frémissant autour de ton visage si fin et pâle. Moi, j'étais déjà très brune, dorée par le soleil des plages du Liban que je fréquentais lors de chaque congé. Le bronzage, pensais-je, renforçait mon sex-appeal et me donnait du « chien » ! Je n'en avais aucune honte et portais des robes très courtes et très moulantes pour mettre en évidence mon corps sensuel de séductrice, fait pour le plaisir et la jouissance.

Nous nous sommes retrouvés dans un petit restaurant où l'on servait choucroute et saucisses de Francfort. J'avais beaucoup bu avant même de nous y rendre, la bière que nous prenions avec le repas acheva de me saouler. Un accordéoniste jouait des airs tristes d'avant-guerre. Le pilote ne cessait de me regarder avec désir et concupiscence. A partir de ce moment, je ne sais plus ce que j'ai dit et fait. Tu étais irréelle dans le brouillard de la fumée des cigarettes. Ton visage paraissait entouré d'une auréole et immatériel. Le pilote racontait sa première aventure, la première fille qui l'avait entraîné dans son lit. C'était en Suède, il avait quinze ans, elle en avait le double. Blonde et très belle, elle l'avait initié au sexe et à la jouissance. Il ne l'oublierait jamais !

I found him pretentious, but I liked him with his crazy wisp of hair dancing across his forehead. His crude way of talking about his sexual adventures in public was indecent. And I was in a complete shameless turned-on frenzy. He had slid his hand under my very short dress and was caressing my thighs. Desire mounted in me like a wave of vertigo. Under the caress of his fingers, I lost control of myself more and more; I let myself be pushed up the slope to where he lured me. I saw the advances of the co-pilot, he held you closer and closer. Overcome by the animal fervor of the man squeezing me, by the sensual heat that we generated together, I forgot about you, innocent and naive. I had a sudden burst of clarity, and told myself that after all, you would learn to manage; that was life—common stereotypes about existential initiations! I had also had to learn, without anyone's guidance. That was existence, learning the desire of men, knowing how to control one's body, getting the best of what life could offer through seduction, to turn masculine power around by using charm and one's physical advantages.

The evening continued from bars to bistros. Everywhere the same old sad song followed us, bruised love and broken hearts. We abandoned the engineer in an alleyway where girls with long hair, half-dressed, were soliciting passersby in the cracks of doors or from behind windows where filtered light illuminated menus of sexual services. There were some very beautiful girls, some others already withered and worn out. Dumbfounded by this flaunting of flesh and pleasures you stared at this unknown world.

The night was bestial, charged with a million smells. In the cracked open doors of the smoky and overheated little bars, women danced, showing their thick knees and their swollen ankles. I don't know anymore in which hotel room I ended up.

Je le trouvais prétentieux, mais je l'aimais bien avec sa
mèche folle qui flottait sur le front. Sa façon crue de raconter
ses aventures en public était indécente. J'étais moi-même dans
une complète impudeur, une folie de tous les sens. Il avait
glissé sa main sous ma robe très courte et me caressait les
cuisses. Le désir montait en moi comme un vertige. Sous la
caresse de ses doigts, je perdais de plus en plus le contrôle de
moi-même ; je me laissais entraîner sur la pente où il m'atti-
rait. Je voyais les assiduités du co-pilote, il te serrait de plus en
plus près. Submergée par l'ardeur animale de l'homme qui me
pressait, par la chaleur sensuelle qui nous rivait l'un à l'autre,
j'oubliais ta présence, innocente et candide. J'eus un sursaut de
lucidité et me dis qu'après tout, tu apprendrais à te débrouiller
; c'était la vie - stéréotypes habituels à propos des initiations
existentielles ! J'avais moi aussi dû apprendre, sans le patro-
nage de quiconque. L'existence c'était ça, apprendre le désir
des hommes, savoir gérer son corps, obtenir le mieux de ce
que la vie pouvait offrir grâce à la séduction, retourner le
pouvoir masculin en utilisant ses charmes et ses atouts char-
nels.

La soirée se poursuivit de bars en bistrots. Partout, nous
poursuivait la même rengaine triste, amours meurtris et
cœurs blessés. Nous avions abandonné le mécanicien dans
une ruelle où des filles à longs cheveux, à demi-vêtues, s'off-
raient aux passants dans l'entrebâillement de portes ou
derrière des vitrines où une lumière tamisée éclairait des
tableaux d'offre de sexe. Il y avait des filles très belles, d'autres
déjà flétries et usées. Médusée par cet étalage de chair et de
plaisirs tu regardais ce monde inconnu.

La nuit était bestiale, chargée de mille odeurs. Dans l'entrebâillement des petits bars embués et surchauffés, des femmes
dansaient, montrant leurs genoux épais et leurs chevilles
gonflées. Je ne sais plus dans quelle chambre d'hôtel je me
retrouvai.

In the morning, when we were on our way back to the Caravelle, when you reappeared in your uniform, you no longer had the look of innocence, the naiveté of the day before. I understood that something had happened, and also that I recognized myself in you.

Au matin, lorsque nous avons repris le chemin de la caravelle, lorsque tu as reparu dans ton uniforme, tu n'avais plus le regard d'innocence, l'air candide de la veille. Je compris que quelque chose s'était passé, et aussi que c'était moi que je retrouvais en toi.

# Une femme qui veut vivre
# A woman who wants to live

April, 1966. In Indiana, spring is muddy and insipid. The snow melt softens the landscape for an instant, then it immediately thinks better of itself and causes landslides. Tornados tear apart everything in their path; nature is hit hard before the birth of buds. Fences surround farms here and there, miry enclosures where pig colonies waddle about, their enormous bodies pink and muddy.

*A large, incandescent star fell over the rivers and springs, all the flames went crazy; drought desolated the earth. Men died of thirst. The woman led the children toward rivers that had escaped the fire of the sun, toward springs that still flowed.*

It is morning, a home in the Midwest. D. has decided to leave and change her life. Her husband sleeps, mouth slightly open. He has just returned from the factory where he works the nightshift. He snores heavily. She looks at him with disgust. In this relationship, there is nothing left to keep her here. She has packed her bags. She is ready, waiting for the taxi.

Her gestures are frantic. She goes from one room to another, contemplating objects; they evoke memories; could they make her change her mind? Nothing, absolutely nothing can hold her back! The guest bedroom stinks of mothballs. A Mona-Lisa mocks her. She closes the door and crosses the hallway. The thick red carpet pushes her back like a layer of blood. She moves her gaze forward along this unending viscous spread. The faux black leather living room furniture is too large, each trinket weighs upon her memory; the space is meaningless. The blank walls threaten her. She raises her eyes to a cross-stitched tapestry; a couple in the style of Marie-Antoinette languorously embraces in a Louis XVI garden. An air of fake candor. Even the telephone appears out of place in this apartment from which she is already detached. She thinks of all the instances where, alone, she has waited for it to ring, for a friendly voice to fill her solitude and despair... Three long, empty years.

Avril 1966. Dans l'Indiana, les printemps sont boueux et insipides. La débâcle des neiges adoucit un instant le paysage ; elle se ravise aussitôt et provoque des glissements de terrain. Les tornades arrachent tout au passage, la nature est mise à mal avant l'éclosion des bourgeons. Des palissades entourent ici et là des fermes, enclos fangeux où des colonies de porcs dandinent leurs corps énormes, roses et fangeux.

*Une grande étoile incandescente est tombée sur les fleuves et les sources, Les flammes ont tout ravagé, La sécheresse a désolé la terre. Les hommes sont morts de soif. La femme a entraîné les enfants vers des fleuves qui avaient échappé au feu ciel, vers des sources qui coulaient encore.*

Une maison du Midwest, au matin. D. a décidé de partir et changer de vie. Son mari dort, bouche entrouverte. Il vient de rentrer de l'usine où il travaille de nuit. Il ronfle lourdement. Elle le regarde avec dégoût. Dans cette relation, plus rien ne la retient. Elle a fait ses valises. Elle est prête, attend le taxi.

Ses gestes sont fiévreux. Elle va d'une pièce à l'autre, contemple des objets ; ils évoquent des souvenirs ; pourraient-ils la faire changer d'avis? Rien, absolument rien ne la retient! La chambre d'hôtes pue la naphtaline. Mona-Lisa narquoise la toise. Elle referme la porte, traverse le couloir. L'épais tapis rouge la repousse comme une nappe de sang. Elle avance les yeux rivés à cette étendue visqueuse et sans fin. Les meubles de faux cuir noir du salon sont trop larges, chaque bibelot pèse dans sa mémoire, l'espace est dénué de sens. Les murs nus la menacent. Elle lève les yeux sur une tapisserie en points de croix, un couple à la Marie-Antoinette langoureusement enlacé dans un jardin Louis XVI. Air de fausse candeur. Le téléphone même est insolite dans cet appartement dont elle est déjà détachée. Elle pense à tous ces instants où, seule, elle a attendu qu'il sonne, qu'une voix amie vienne combler sa solitude et son désespoir… Trois années longues et vides.

Now it's over, she murmurs to herself, never again this oppressive silence, this agonizing wait. I am changing my life!

She looks at her left wrist, thin white scars, failed suicides, evoking her life up to this day, the last three years most of all. Tortured existence! Now, she has the courage to change the deal, to reach the end of her revolt without destroying herself. She is going; she will leave this country where she has never been happy and satisfied, where, at every moment, she buried herself in the void and silence.

She revisits the small French town where she was born. It was there she had met her first love. He had betrayed her. When she saw him, she was immediately smitten with his long and sensual face à la James Dean, taken with his smile. He wore the uniform of an American soldier; he had laughed, looking straight into her eyes, he called her: my baby doll! Her heart bad beaten wildly. Love at first sight. Cheeks on fire, she responded to his call, giving herself over to him without holding back. She believed these feelings were shared. She had found herself pregnant. He would hear nothing of this conception. He had accused her of being a loose woman, and abandoned her.

She couldn't take responsibility for this life within her. She had been driven to seek an abortion. At that time, abortion in France was a serious offense. She didn't have a choice. She would never forget it! She would never forgive him for having left her alone to face the anxiety of an underground abortion. Pools of blood she had lost, they had nearly taken her life. She feared being followed. She had had to hide everything from her family, her mother first and foremost.

Afterwards she had met another GI, this man, her husband, asleep in bed at this instant; she does not love him, she has never loved him. She had married him to escape from the past, escape from painful memories, escape from a sick mother she didn't want to suffer. On the new continent she would build a new life. In reality, she had built herself a prison. Each hour, each minute now added to the anguish accumulated over the years.

Maintenant c'est fini, murmure-t-elle, plus jamais de silence oppressant, d'attente angoissante. Je change de vie !

Elle regarde son poignet gauche, minces cicatrices blanches, suicides ratés ; comme sa vie jusqu'à ce jour, les trois dernières années surtout. Existence torturée ! Maintenant, elle a le courage de changer la donne, d'aller au bout de la révolte sans se détruire. Elle part, elle va quitter ce pays où elle n'a jamais été heureuse et satisfaite, où, à chaque instant, elle s'ensevelissait dans le vide et le silence.

Elle revoit la petite ville française où elle est née. Elle y avait connu son premier amour. Il l'avait trahie. Lorsqu'elle l'avait vu, elle avait immédiatement été frappée par un visage long et sensuel à la James Dean, par son sourire. Il portait l'uniforme d'un soldat américain ; il avait ri en la regardant, droit dans les yeux, il l'appelait : my baby doll ! Son cœur avait battu la chamade. Le coup de foudre. Les pommettes en feu elle avait répondu à son appel, s'était donnée à lui sans réserve. Elle croyait ses sentiments partagés. Elle s'était retrouvée enceinte. Il n'avait rien voulu entendre de cette conception. Il l'accusait de frivolité, et l'avait abandonnée.

Elle ne pouvait assumer cette vie en elle. Elle avait été contrainte à l'avortement. A l'époque, l'avortement en France était un délit grave. Elle n'avait pas le choix. Jamais elle n'oublierait ! Jamais elle ne lui pardonnerait de l'avoir laissée seule face aux angoisses de l'avortement clandestin. Flots de sang qu'elle avait perdu, ils avaient failli lui coûter la vie. Elle craignait d'être poursuivie. Elle avait dû tout cacher à sa famille, à sa mère d'abord.

Par la suite, elle avait rencontré un autre GI, cet homme, son mari qui dort dans le lit en ce moment ; elle ne l'aime pas, ne l'a jamais aimé. Elle l'avait épousé pour fuir le passé, pour fuir des souvenirs trop douloureux, pour fuir une mère malade qu'elle ne voulait pas faire souffrir. Sur le nouveau continent elle construirait une vie nouvelle. En réalité, elle s'était bâtie une prison. Chaque heure, chaque minute ajoutait maintenant à l'angoisse accumulée au fil des ans.

She lets out a muffled cry, lost in her thoughts; she has dug her nails into the scars on her wrists. They had become purple, ready to bleed again. The wrist looks as if marked by a red-hot iron. Beads of sweat form on her forehead. She wipes it. "I must have a fever," she murmurs to herself. She runs to the bedroom. The man is still asleep, snoring loudly. "He will not wake up, he won't stretch out his hand to me at the moment he should…my God! Why isn't the taxi here?"

She rushes to the phone, redials the number of the station, suppressing the pounding of her heart.

"Hello?"

"I asked for a taxi almost half an hour ago."

"Yes ma'am, he just left. It's barely been fifteen minutes since you called. The time to get hold of him, now he's coming."

She looks at the clock in the room. It's true; hardly fifteen minutes had passed. She goes into the kitchen, pours herself a cup of coffee. Through the little window above the sink, she sees the morning fog on the flat, gloomy landscape. "It's for the last time, how could I stand this monotony, this stagnant life, this absence of a horizon for so long?" She thinks of her little town, of her mother sick and alone. "How could I abandon her, let her suffer, go so far away from her?" She didn't want to, she didn't have a choice. One would have to give up life altogether to ensure that no one else suffered. One would have to stop breathing so as not to feel.

And yet there she is, alive, and she has chosen to live. She grabs her suitcases, leaves the house, and gets into the taxi that drives her toward freedom.

*In my uneasiness, your strength is formidable, may you preserve my life, help me to discover the secrets buried in my depths! I cried out in my solitude, in vain I called for a friendly hand; only the wind has responded to my pain! Happy are those who find the path to happiness and follow it.*

Elle pousse un cri étouffé, perdue dans ses pensées, elle a enfoncé ses ongles dans les cicatrices du poignet. Elles sont devenues violacées, prêtes à saigner à nouveau. Le poignet semble marqué au fer rouge. La sueur perle à son front. Elle l'essuie. « Je dois avoir de la fièvre » murmure-t-elle. Elle court à la chambre à coucher. L'homme dort toujours, ronfle bruyamment. « Il ne se réveillera pas, il ne me tendra pas la main au moment où il le faudrait … Mon Dieu ! Pourquoi ce taxi n'arrive-t-il pas ? »

Elle se précipite sur le téléphone, refait le numéro de la station, réprime les battements de son cœur.

— Allô ?

— J'ai demandé un taxi il y a près d'une demi-heure.

— Oui Madame, il vient de partir. Vous avez appelé il y a à peine quinze minutes. Le temps de le trouver, maintenant il arrive.

Elle regarde l'horloge du salon. C'est vrai, quinze minutes à peine se sont écoulées. Elle va dans la cuisine, se verse une tasse de café. Par la petite fenêtre au-dessus de l'évier, elle voit la brume matinale sur le paysage plat, morne. « C'est la dernière fois, comment ai-je pu supporter cette monotonie, cette vie bouchée, cette absence d'horizon pendant si longtemps ? » Elle pense à sa petite ville, à sa mère malade et seule. « Comment ai-je pu l'abandonner, la faire souffrir, m'éloigner d'elle ? » Elle ne l'a pas voulu, n'avait pas le choix. Il aurait fallu ne pas vivre pour ne faire souffrir personne. Il aurait fallu ne pas respirer pour ne pas sentir.

Elle est pourtant bien là, vivante, et a choisi de vivre. Elle attrape ses valises, quitte la maison, monte dans le taxi qui la conduit vers la liberté.

*Dans mon inquiétude, ta force est redoutable, puisses-tu préserver ma vie, m'aider à découvrir les secrets enfouis au fond de moi ! J'ai crié dans ma solitude, en vain j'ai appelé une main amie ; seul le vent a répondu à ma douleur ! Heureux ceux qui trouvent le chemin du bonheur et le suivent.*

# Désir d'enfant
# Desire for a child

Indiana, June 1967. What heat and humidity. The place is transformed into an immense, stifling Turkish bath. Air conditioning units and fans hum throughout the day. Who could go without them? One perspires, one becomes weary; every gesture, every movement becomes a terrible effort. The air-conditioned car is a haven for all the trips, from house to work, from work to the bank, from the bank to the movie theater, from theater to fast food. One gobbles up a hamburger and coke without enjoying it. Banking is done from the car seat, without interrupting the music or news. Signing a check, sending it through a pneumatic tube, the bank returns money through the same tube. The air-conditioned car is omnipresent. Everything can be done mechanically, without effort. And one saves time! One never encounters another's gaze. Besides, why look for another's face or smile when time is measured and one can do without that? "Time is money, my friend", says the American! One must do things quickly, never lose a minute, always rush, go faster, get straight to the point. At the end of the day, one no longer sees those around us. One's own family disappears into anonymity.

*And behold one of the seven angels, angels who hold the seven goblets, seven goblets overflowing with the last seven great calamities. He comes to announce the young bride, the young bride chosen to fulfill the prophecies. Then with all the strength of their gaze, they look to the sky for them.*

Indiana, juin 1967. Chaleur et humidité. L'espace transformé en immense hammam irrespirable. Climatiseurs et ventilateurs ronronnent à longueur de jour. Qui pourrait s'en passer ? On transpire, on fatigue ; chaque geste, chaque mouvement devient terrible effort. La voiture climatisée assure tous les déplacements, de la maison au travail, du travail à la banque, de la banque au cinéma, du cinéma au fast-food. On peut engloutir hamburger et coca-cola sans la quitter. Les transactions bancaires s'effectuent depuis le siège de la voiture, sans interrompre l'écoute de la musique ou des nouvelles. On signe un chèque, on l'envoie par un tube pneumatique, la banque renvoie l'argent par le même tube. La voiture climatisée est omniprésente. Tout peut se faire mécaniquement, sans effort ? Et on gagne du temps ! On ne rencontre jamais le regard de l'autre. Pourquoi d'ailleurs rechercher un regard ou un sourire quand le temps est compté et qu'on peut s'en passer ? « Time is money, my friend, » dit l'américain ! Il faut faire vite, ne jamais perdre une minute, se presser toujours ; aller plus vite, aller droit au but. En fin de compte, on n'aperçoit plus les gens autour de soi. Sa propre famille même disparaît dans l'anonymat.

*Et voici l'un des sept anges, des sept anges qui tiennent les sept coupes, les sept coupes débordant des sept dernières grandes calamités. Il vient annoncer la jeune mariée, la jeune mariée choisie pour accomplir les prophéties. Alors de toute la force de ses yeux on regarde en direction du ciel.*

More car rides on the week-ends. In a car, people go to watch a film, sometimes as a family, often as a couple; it's a date, like a lover's rendezvous. One goes into the parking lot with its open sky, "drive in theaters"; one doesn't leave the car. One watches horror films, action films, westerns, thrillers on a large screen in the open air; if the film isn't captivating, one plays at peeping tom, watches couples making love all around. Often teenagers have no other place to mate but in their parents' large cars, parked in front of the big screen! The car is more than a companion, it is taken everywhere, one can no longer do without it; thanks to it, legs are no longer used, one no longer walks and gets fatter; the more one grows, the less one wants to walk, the less one walks, the more one grows. Without relationships with others, the car becomes human; one lives one's life within it.

*Further on, I see a very white throne, someone upon it. The earth and sky disappear behind it, and we can no longer see them. And I see the dead and I see the living, and I understand that nothing will ever be as before. Then I begin to walk, to try and understand things so blurred and obscure.*

"Give me a child," Sally pleads, hanging onto Rich's neck as he drives the car.

He looks at her, surprised. Her lips move closer to his, her large eyes sparkle in an unusual way.

"I want a black child, one like you," she entreats.

"Arab children from your Palestinian husband are not enough for you?" Rich asks.

"No, it is a black child that I want!" She pleads again.

She bares her arms and begins unhooking her dress. He sees her milky, satin body, the white breasts, a warm body trembling with desire, the body of a white woman offering herself.

Pour les week-ends la voiture encore. En voiture on va voir un film, parfois en famille, souvent en couple ; c'est une « date », comme un rendez-vous amoureux. On se rend dans des parkings à ciel ouvert, des « drive in theaters » ; on ne quitte pas la voiture. On regarde des films d'horreur, des films d'action, des westerns, des thrillers, sur un grand écran en plein air ; si le film ne captive pas, on peut jouer les voyeurs, regarder les couples qui s'envoient en l'air dans les voitures tout autour. Souvent des adolescents qui n'ont d'autre lieu pour s'accoupler que les grosses voitures de leurs parents, parquées face au grand écran ! La voiture est plus qu'une compagne, on la prend pour tout déplacement, on ne peut plus s'en passer, grâce à elle on n'a plus à utiliser ses jambes, on ne marche plus et on grossit, plus on grossit moins on a envie de marcher, moins on marche, plus on grossit. Sans relation avec les autres, la voiture devient l'humain, on fait sa vie avec elle.

*Ensuite, je vois un trône tout blanc, quelqu'un est assis dessus. Le ciel et la terre disparaissent devant lui, et on ne les voit plus. Et je vois les morts et je vois les vivants, et je comprends que plus rien ne sera jamais comme avant. Alors je commence à marcher pour essayer de comprendre des choses si troubles et si obscures.*

— Fais-moi un enfant, supplie Sally accrochée au cou de Rich qui conduit la voiture.

Il la regarde, surpris. Ses lèvres se rapprochent des siennes, ses grands yeux brillent de manière inaccoutumée.

— Je veux un enfant noir comme toi, supplie-t-elle.

— Les enfants arabes de ton homme palestinien ne te suffisent pas ? demande Rich.

— Non, c'est un enfant noir que je veux ! Crie-t-elle à nouveau.

Elle dénude ses jambes et commence à dégrafer sa robe. Il voit le corps laiteux et satiné, les seins blancs, un corps chaud et frémissant de désir, le corps d'une femme blanche qui s'offre.

She is a woman from the race that oppresses him, a black American who, not so very long ago, didn't have the right to sit next to a white person on the bus or in public places.

He draws her against him, kisses her with ardor, lips joining with passion. The desire to possess rises in him, a desire mixed with a sentiment of revenge; the dominated can finally dominate! He feels strength and power. A sensation akin to becoming a God. A blond American God, the coarse mouth of James Dean, the flowing locks of Elvis Presley. All his senses heightened, desire mounts in him like an overflowing river that will drown both of them.

Sally points to a motel by the side of the road, the fluorescent sign, neon letters of the Indianapolis Holiday Inn. The lights blink, call for the union of their bodies. Sally signals for him to stop. They are in a hurry to reunite beyond the lights, in the intimacy of a dark room.

The car turns, stops. Rich heads to the front desk; in exchange for 20 dollars, the key to a room. Sally impatiently waits for him. He encircles her shoulders with his black muscular arms; he asks if she wants to have a drink at the bar. No, she'd like to go to the room immediately. She doesn't want alcohol modifying her feelings. She wants to breathe, sense the black flesh against her white skin without drug or stimulant, live the magic of the combination of white/black, black/white, a revolution to be realized, to be lived fully, an upheaval of the conscience.

*His face is a sun, his legs columns of fire. In his hand, he holds a small book, the book is open. Left foot on the ground, he places the right on the sea. He cries out that she understands nothing, that all the efforts in the world are for nothing, she and he live and will always live in different worlds where angels never meet!*

Une femme de la race qui l'opprime lui, noir américain qui, il n'y a pas si longtemps, n'avait même pas le droit de s'asseoir à côté d'un blanc dans les autobus ou les lieux publics.

Il l'attire contre lui, l'embrasse avec fougue, les bouches se mêlent avec passion. Le désir de possession monte en lui, un désir mêlé d'un sentiment de revanche ; le dominé peut enfin dominer ! Il en ressent force et pouvoir. Sensation de se transformer en Dieu ! Un Dieu blond américain, bouche canaille de James Dean, mèches flottant sur le front d'Elvis Presley. Tous ses sens sont en alerte, le désir monte en lui comme un fleuve qui l'envahit et va les noyer, l'un et l'autre.

Sally lui indique un motel au bord de la route, L'enseigne lumineuse, les lettres au néon de l'Indianapolis Holiday Inn. Les lumières clignotent, appellent à la fusion des corps. Sally fait signe de s'arrêter. Ils ont hâte de se retrouver au-delà des lumières, dans l'intimité d'une chambre sombre.

La voiture tourne, s'arrête. Rich se rend au « desk » : contre vingt dollars, la clé d'une chambre. Sally l'attend avec impatience. Il entoure ses épaules de ses bras noirs, musclés, lui demande si elle veut prendre un verre au bar. Non, elle souhaite aller tout de suite dans la chambre. Elle ne veut pas d'alcool qui modifierait ses sensations. Elle veut respirer, sentir la chair noire contre sa peau blanche sans drogue ni stimulant, vivre la magie du mélange blanc/noir, noir/blanc, une révolution à accomplir, à vivre pleinement, un bouleversement de la conscience.

*Son visage est un soleil, ses jambes des colonnes de feu. Dans sa main, il tient un petit livre, le livre est ouvert. Le pied gauche sur la terre, il pose le pied droit sur la mer. Il crie qu'elle ne comprend rien, que tous les efforts du monde, ne servent à rien, elle et lui vivent et vivront toujours dans des mondes différents dont les anges ne se rejoignent jamais !*

She speaks, tells of her revelation of black people's reality. She speaks again of the desire of the white woman for the black man. She still hasn't read *Black Skin, White Masks*—she will read it later; but she lives it already, she has formed an image of the struggle of races, thanks to her imagination, her awareness of injustices, also thanks to a certain madness in the hidden monotony of Indiana, lost in the middle of a dismal land; a French film-maker, Louis Malle, made a film with the title, *God's Country*, which underscored the irony of the creation of that part of the world; it drives men mad, and women even more so!

Sally is incoherent and overexcited; what she says doesn't make sense to Rich. He doesn't hear her, only sees her as an object of his desire that he will finally possess.

She is bursting with rebellion, a rebellion born in the place of her birth. She was led by it to marry a Palestinian man, with whom she has two adorable little girls. Thanks to the marriage, he obtained his immigration papers more easily, the Green Card; thanks to this woman, he who had lost his country and his house found himself a refuge, a home.

Today, the Palestinian cause annoys her as much as she was impassioned by it, and her Palestinian husband no longer excites her. She searches for other sensations, new sexual experiences in order to understand and get to know herself; rebellion and the discovery of oneself come about through the senses. Like so many Americans, she has no real political conscience; she acts on instinct.

Elle parle, parle de son éveil à la réalité noire. Elle parle encore du désir de la femme blanche pour l'homme noir. Elle n'a pas encore lu « Peau noire, masques blancs » - elle le lira plus tard ; mais elle le vit déjà, elle s'est construit une image de la lutte des races, grâce à son imagination, à sa conscience des injustices, grâce aussi à une certaine folie que sécrète la monotonie de l'Indiana, perdu au milieu d'une terre morose ; un cinéaste français, Louis Malle, en a tiré un film dont le titre « God's country », souligne l'ironie de la création de cette partie du monde ; elle rend les hommes fous , et plus encore les femmes !

Sally est incohérente et surexcitée, ce qu'elle raconte ne fait pas sens pour Rich. Il ne l'écoute pas, ne voit en elle que l'objet de désir qu'enfin il va posséder,

En elle bouillonne la révolte, une révolte née du lieu de sa naissance. Elle l'a conduite à épouser un homme palestinien, avec lequel, elle a eu deux mignonnes petites filles. Grâce au mariage, il a obtenu plus facilement des papiers d'immigration, la green card ; Grâce à cette femme, celui qui avait perdu son pays et sa maison a trouvé un asile, un home.

Aujourd'hui, la cause palestinienne l'ennuie autant qu'elle l'a passionnée, et son homme palestinien ne la fait plus vibrer. Elle cherche d'autres sensations, De nouvelles sensations sexuelles pour se connaître, se comprendre ; la révolte et la découverte d'elle-même passent par les sens. Comme beaucoup d'américains, elle n'a pas de vraie conscience politique, elle fonctionne à l'instinct.

Rich, the black man who holds her in his arms, does have a political conscience! For years he has fought for the justice of his people. He has endured prison for his political actions. He has read *Soul on Ice*. Holding in his arms a white woman is a moment of vengeance. Finally! Injustice is reversed into a situation of justice! She imagines they are going to experience a sacred ceremony, a mystic event of union and transformation, he knows that he will turn into a righter of wrongs. She sees him as a god sowing seeds of fecundity, one who will remake society; he feels within him the growing seed of a reversal he believes will be liberating.

*I see the Lamb again. It breaks the sixth chain. Then, the earth shook from a violent earthquake. The sun becomes black and the moon becomes red, the two stars will never encounter the bodies of the man or the woman, plunged into a bath of blood!*

Soon after, in the room, they throw themselves at each other like young wolves ready to devour their prey; mouths, tongues, lips, fingers, legs become entangled, dancing a saraband. Thick full lips against tender pink lips, curly and frizzy hair against smooth and silky hair, a black and muscular chest against soft, white breasts, his blackness hard against her open milky whiteness. The two bodies entangled, bound together by a savage and timeless attraction.

Sally finds herself back at her house in the Midwest. On the walls, she had painted a massive seascape in violent colors, Greek statues in a classic silhouette; she had cast all her social contradictions there; they reflect a tormented and unsatisfied soul.

Her husband has just woken up, he gulps down a cup of coffee.

Rich, l'homme noir qui la tient dans ses bras, a une conscience politique ! Depuis des années il lutte pour que justice soit rendue à son peuple. Il a subi la prison pour ses prises de position politiques. Il a lu « Soul on Ice. » Tenir dans ses bras une femme blanche est un moment de vengeance. Enfin ! Juste retournement d'une situation injuste ! Elle imagine qu'ils vont vivre une cérémonie sacrée, une épreuve mystique de fusion et de transformation, lui sait qu'il va se métamorphoser en justicier. Elle le regarde comme un dieu qui répand une semence de fécondité, qui refondera la société, il sent germer en lui la semence d'un retournement de situation qu'il pense libérateur.

*Je vois de nouveau l'Agneau. Il rompt la sixième attache. Alors, la terre est secouée d'un violent séisme. Le soleil devient noir et la lune devient rouge, les deux astres ne se rencontreront jamais ni les corps de l'homme et de la femme plongés dans un bain de sang !*

Sitôt dans la chambre, ils se jettent l'un contre l'autre comme de jeunes loups prêts à dévorer leur proie ; bouches, langues, lèvres, doigts, jambes s'entremêlent, dansent une sarabande. Lèvres épaisses et charnues contre lèvres tendres et roses, cheveux crépus et frisés contre cheveux lisses et soyeux, poitrine noire et musclée contre seins blancs et doux, sexe noir dressé contre sexe laiteux ouvert. Les deux corps sont enchevêtrés, soudés par une attraction sauvage et intemporelle.

Sally se retrouve dans sa maison du Midwest. Les murs, elle les a peints d'énormes paysages marins aux couleurs violentes, de statues grecques aux contours classiques ; elle y a projeté toutes les contradictions de ses engagements mondains, ils reflètent une âme tourmentée et insatisfaite.

Son mari vient de se lever, il avale une tasse de café.

"How was the play yesterday?" he asks.

"I learned a lot of important things. The fear of death is the only real fear from which we must free ourselves. That is one of the few absolute truths. To understand it, one must be free; sexually, physically, mentally free. It's an extraordinary discovery! After that, we can no longer be the same. Imagine! If everybody achieved that...What's more, nothing would be as before, almost all the world's problems would have been solved without one drop of blood being spilled. For me, that's a total revelation. I'd like to go back and see the play with you!"

He shrugs his shoulders. Such a horrible habit to always talk too much and to respond like that! He doesn't have time to discuss it. He slips on his vest and kisses her on the forehead.

"I have a lot of work, I have to go...don't think too much, you torment yourself for nothing; don't forget what the doctor told you: you need rest and quiet, your nervousness aggravates the depression. You should take the anti-depressants he prescribed for you."

He heads towards the door. She hesitates for a few seconds, panics and stresses because of what she has decided to reveal. She rushes behind him, breathless, while he reaches the doorstep:

"Listen! Something has happened. It is something important for both of us; I am going to have a baby, a black child!"

He looks at her in shock and dismay: "But you're crazy... since when? With whom?"

"I'm not going to tell you. You have such rage, a morbid jealousy, you are capable of anything..."

She laughs, sudden relief for having dared tell him, having confessed such a heavy secret; she presses her two hands to her stomach, in the position that woman often take when they are happy with their roundness. He looks at her in terror:

— Comment était la pièce de théâtre hier ? demande-t-il.

— J'ai appris une chose très importante, la peur de la mort est la seule peur véritable dont il faut s'affranchir. Telle est l'une des rares vérités absolues. Pour la comprendre, il faut être libre ; sexuellement, physiquement, mentalement libre. C'est une découverte extraordinaire ! Après cela, on ne peut plus être pareil. Imagine ! Si tout le monde y parvenait. Plus rien ne serait comme avant, presque tous les problèmes mondiaux pourraient être résolus sans qu'une goutte de sang soit versée. Pour moi, ça a été une révélation totale. J'aimerais retourner voir cette pièce avec toi !

Il hausse les épaules. Sale habitude de toujours trop parler et de répondre à côté ! Il n'a pas le temps de discuter. Il enfile sa veste et l'embrasse sur le front.

— J'ai beaucoup de travail, je dois partir… Ne pense pas trop, tu te tourmentes pour rien, n'oublie pas ce que le médecin t'a dit : tu as besoin de repos et de tranquillité, ta nervosité frise la dépression. Tu dois prendre les calmants qu'il t'a prescrits.

Il se dirige vers la porte. Elle hésite quelques secondes, paniquée et stressée par la révélation qu'elle a décidé de faire. Elle se précipite derrière lui, et lance à bout de souffle, alors que déjà il franchit le seuil de la maison :

— Ecoute ! Il m'arrive quelque chose. C'est un événement important pour nous deux : j'attends un enfant, l'enfant d'un noir !

Il la regarde abasourdi et choqué :

— Mais tu es folle… Depuis quand ? Avec qui ?

— Je ne te le dirai pas. Tu es d'une telle violence, d'une telle jalousie maladive, tu es capable de tout…

Elle rit, soudain soulagée d'avoir osé lui parler, d'avoir confessé un secret trop lourd ; elle appuie ses deux mains contre son ventre, dans la position que prennent souvent les femmes enceintes satisfaites de leur rondeur. Il la regarde avec effroi :

"I really don't have time for your nonsense. You hallucinate, that's all. Take your anti-depressants and stop acting delirious. I will not tolerate it if your folly becomes a reality. If what you say is true, you can pack your bags, I will never tolerate our girls witnessing your orgies."

Both young girls with large blue eyes, black hair, the spitting image of their mother, especially the eldest with her high forehead, her long and skinny limbs, rush up laughing, falling over each other to greet their father. He opens his large arms, lifts them up and kisses them with a Mediterranean passion.

Her husband gone, Sally enters the house, shuts the door, orders her daughters to stop a fight that has already begun, to be quiet. She grabs hold of the phone, dials her friend's number.

"Hello Rita? It's Sally."

"I was going to call you, how was the play yesterday?"

"A work of art! Unthinkable truths! Passionate themes. You can't remain the same after such a play. Our civilization is on the cusp, we must realize and understand one of the absolute truths of this world that leaves it in tatters; the fear of death is the only true fear! There's not much time left to realize this. We must liberate ourselves before it is too late. I have decided to liberate myself."

Rita didn't respond. Last month, it was the Palestinian problem that had excited Sally. She had decided to sign petitions for the martyred people, she wanted to organize a march on Washington to bring attention to the cause of the oppressed people, left for dead. In the end she had done nothing. The summer before, she had wanted to open an orphanage. Two years ago, she was interested in spiritualism. Today, her thoughts seemed to Rita obscure and confusing.

— Je n'ai vraiment pas le temps pour tes bêtises. Tu hallu-cines, c'est tout. Prend tes tranquillisants et arrête de délirer. Je ne supporterai pas que ta folie éclate au grand jour et si ce que tu dis est vrai, tu peux plier bagage, je ne tolèrerai jamais que nos filles soient témoins de tes orgies.

Deux fillettes aux grands yeux bleus, aux cheveux noirs, portraits de leur mère, surtout l'aînée avec son front haut, ses membres longs et maigres, accourent en riant, se bousculent pour saluer leur père. Il ouvre tout grand les bras, les soulève et les embrasse avec une fougue méditerranéenne.

Le mari parti, Sally rentre dans la maison, ferme la porte, ordonne à ses filles d'arrêter une dispute qui a déjà commen-cé, de se taire. Elle attrape le téléphone, compose le numéro d'une amie.

— Allô Rita ? C'est Sally.

— J'allais te téléphoner, comment était la pièce hier ?

— Un chef-d'œuvre ! Des vérités à couper le souffle ! Des thèmes qui enthousiasment. On ne peut plus être pareil après une telle pièce. Notre civilisation est à un tournant, nous devons réaliser et comprendre l'une des vérités absolues de ce monde qui part en lambeaux : la peur de la mort est la seule véritable peur ! Il ne reste plus beaucoup de temps pour comprendre. Il nous faut nous libérer avant qu'il soit trop tard. J'ai décidé de me libérer.

Rita ne réagit pas. Le mois précédent, le problème palesti-nien avait enthousiasmé Sally. Elle avait décidé de faire signer des pétitions pour ce peuple martyr, elle voulait organiser une marche sur Washington pour attirer l'attention sur la cause de ce peuple opprimé, laissé pour compte. Finalement elle n'avait rien fait. L'été d'avant, elle voulait ouvrir un orphelinat. Il y a deux ans, elle s'intéressait au spiritisme. Aujourd'hui, ses pensées semblaient à Rita bien confuses et obscures.

Rita wonders if she has made it all up. She listens to the two girls who fight. Sally places the phone on the table in order to separate the two children and orders them to be quiet. She returns:

"Rita? Are you still there? Do you have any space to take me in? I am going to have to move."

"You know that you can come to my house when you want. What's happened? You haven't fought with Mohamed, have you?"

"Not really, though he is so difficult and never happy, as you know. One day it's the soup that isn't hot enough, another, the house that isn't clean enough. I can never make him happy. Today he was bothered by other things; he is terribly jealous because I am going to have a black child!"

"That is not possible! When did you make that mistake?"

"Last night with Rich, leaving the theatre, we slept together. I am almost positive I am pregnant, I can already sense the baby growing in my womb."

Rita is silent. The two children tear at each other's hair, crying.

"I have to go, excuse me, my two daughters are fighting."

"Don't worry, come when you want. I always have room for you. We will all help you if necessary."

*The stars fall to the earth, rush to the ground like leaves swirling in the wind on an autumn evening. The woman is the large star who leads the men of the earth; she believes she is making them advance towards justice and liberty. She is only wind, wind that dives through the houses without doors or windows.*

Rita se demande ce qu'elle a encore inventé. Elle entend les deux fillettes qui se disputent. Sally a posé le téléphone sur la table pour séparer les deux gamines et leur ordonne de se taire. Elle revient :

— Rita ? Es-tu toujours là ? Aurais-tu de la place pour me recevoir ? Je vais devoir déménager.

— Tu sais que tu peux venir chez moi quand tu veux, Que se passe-t-il ? Tu ne t'es pas disputée avec Mohamed quand même ?

— Pas vraiment, bien qu'il soit si difficile et jamais content, comme tu le sais. Un jour c'est la soupe qui n'est pas assez chaude, l'autre, la maison qui n'est pas assez astiquée. Je ne peux jamais le contenter. Aujourd'hui il s'agit d'autre chose, il est terriblement jaloux car j'attends l'enfant d'un noir !

— Ce n'est pas possible ! Quand as-tu fait cette folie ?

— Hier soir avec Rich, en sortant de la pièce, nous avons couché ensemble. Je suis sûre que je suis enceinte, je peux déjà sentir l'enfant frémir dans mon ventre.

Silence de Rita. Les deux gamines se sont attrapées par les cheveux et hurlent.

— Je dois raccrocher, excuse-moi, mes filles se battent.

— Ne t'en fais pas, viens quand tu veux. J'ai toujours de la place pour toi. Nous ferons tout pour t'aider si nécessaire.

*Les étoiles tombent du ciel, se précipitent sur la terre comme les feuilles tourbillonnent dans le vent d'un soir d'automne. La femme est la grande étoile qui dirige les hommes de la terre ; elle croit les faire avancer vers la justice et la liberté. Elle n'est que du vent, du vent qui s'engouffre dans des maisons sans portes ni fenêtres.*

Four months have passed. Mohamed has asked for a divorce. Rich has provided medical papers that prove his infertility; Sally still tells them she is pregnant and accuses other black men in the town. These four months have transformed her. She wears a gypsy dress and has painted a golden star on her forehead. Her hair, which had previously always been well kept, falls to her shoulders, long and neglected, often untidy and dirty. She has lost weight, become a strict vegetarian. She practices yoga, no longer wants to hear about the problems of black people. Her bedside books no longer tell of the Black Panthers, but of Gandhi and of Christ.

Today Sally and Mohamed meet up in a courthouse. They avoid looking at each other. The daughters are frozen in their Sunday dresses. Mohamed doesn't look very well, stubborn and wounded. Now and then, his eyes glaze over; far away in a relentless sadness, they seek to join nomads, the desert, a country he will never see again and which he misses. He clenches his fists, looking like he is about to punch someone invisible, as if he would like to crush somebody.

The wait is eternal. Sally doesn't dare look at Mohamed. The two girls are ready to begin their usual fighting, but for the silent room and solemn situation they find themselves in. Someone tells them that the judge has called; he had an important commitment. He will not make it today and he apologizes. The hearing is rescheduled for tomorrow.

Mohamed turns toward Sally:

"Do you have any means to get home?"

"No, Rita was to come for me in an hour...I am going to take a taxi."

"You can come with us if you like, I will accompany you."

Quatre mois ont passé. Mohamed a demandé le divorce. Rich a fourni des papiers médicaux qui prouvent sa stérilité ; Sally se dit toujours enceinte et pointe du doigt d'autres noirs de la ville. Ces quatre mois l'ont transformée. Elle porte une robe gitane et a peint une étoile dorée sur son front. Ses cheveux, auparavant toujours soignés, tombent sur ses épaules, longs et négligés, souvent désordonnés et sales. Elle a maigri, est devenue stricte végétarienne. Elle pratique le yoga, ne veut plus entendre parler du problème noir. Ses livres de chevet ne parlent plus des panthères noires, mais de Gandhi et du Christ.

Aujourd'hui Sally et Mohamed se retrouvent au « court house ». Ils évitent de se regarder. Les fillettes sont figées dans leurs robes du dimanche. Mohamed a le regard des mauvais jours, buté et blessé. De temps à autre, ses yeux se voilent, partent très loin dans une tristesse obstinée, ils cherchent à rejoindre les nomades, le désert, un pays qu'il ne reverra jamais et qui lui manque. Il sert les poings, semble à tout moment prêt à frapper un personnage invisible qu'il voudrait anéantir.

L'attente s'éternise. Sally n'ose pas regarder Mohamed. Les deux fillettes sont prêtes à reprendre leurs disputes quotidiennes, ne les retient que le silence de la salle et la solennité d'une situation qu'elles pressentent grave. On les avertit que le juge a téléphoné, un empêchement majeur. Il ne pourra pas venir aujourd'hui et s'en excuse. L'audience est reportée au lendemain.

Mohamed se tourne vers Sally :

— As-tu un moyen de transport pour rentrer ?

— Non, Rita devait venir me chercher dans une heure… Je vais prendre un taxi.

— Tu peux venir avec nous si tu veux, je te raccompagnerai.

Sally is embarrassed. In silence, she takes the hand of one of her girls and follows Mohamed without saying anything. She gets in front. The girls try to break the silence, taking both hands of the parents they try to reunite.

"Mother's coming back to the house?" The eldest asks Mohamed.

He doesn't respond. The two of them seem frozen in stone. She steadies herself to hide her grief. Both daughters take up their game again and argue in the back seat. Mohamed stops the car in front of Rita's house. Sally gets out, approaches the door, places her hand on Mohamed's arm:

"You seem tired. You aren't working too hard?"

He raises his eyes towards her; he looks at her as if for the first time. Large circles surround her eyes.

"You don't look too good yourself. Why don't you come with us on vacation for a few days in Florida? I've decided to take a vacation. That would do you some good, don't you think?"

She looks at him, surprised, with tenderness. Large tears slowly roll down from her eyes. The bitterness accumulated within her leaves through every pore of her skin: her body is sick, tired of searching for new sensations, always seeking a cause she cannot grasp; she is hit by a chronic migraine, her head can no longer sort through all the contradictory and hard-hitting ideas.

He also looks at her with tenderness, worried for her well being; he echoes her tears, one by one, pearls of grief and of joy that she offers him without holding back. He takes her head in his hands, takes her tears and wipes them away one by one in an extremely tender moment so rare for him.

Sally est gênée. En silence, elle prend la main de l'une des fillettes et suit Mohamed sans rien dire. Elle s'installe à l'avant. Les fillettes cherchent à rompre le silence, prennent tour à tour les mains de leurs parents et tentent de les réunir.

— Maman revient à la maison ? demande l'aînée à Mohamed.

Il ne répond pas. L'un et l'autre semblent pris dans des glaçons. Elle se crispe pour retenir son chagrin. Les fillettes reprennent leurs jeux et disputes à l'arrière. Mohamed arrête la voiture devant la maison de Rita. Sally descend, s'approche de la portière, pose la main sur le bras de Mohamed :

— Tu sembles fatigué. Tu ne travailles pas trop ?

Il lève les yeux vers elle, la regarde comme pour la première fois. D'immenses cernes lui rongent le visage.

— Tu n'as pas bonne mine toi-même. Pourquoi ne viendrais-tu pas avec nous en vacances quelques jours en Floride ? J'ai décidé de prendre des vacances. Ça te ferait du bien, non ?

Elle le regarde, surprise, avec tendresse. De grosses larmes coulent lentement de ses yeux cernés. L'amertume accumulée jaillit de tous les pores de sa peau ; son corps est malade, fatigué de chercher toujours de nouvelles sensations, toujours en quête de causes qu'elle ne parvient pas à saisir ; elle est frappée par une migraine chronique, sa tête n'en peut plus de remuer sans cesse des idées contradictoires et d'une violence extrême.

Il la regarde aussi avec tendresse, soucieux de son mal être ; il reçoit ses larmes une à une, perles de chagrin et de joie qu'elle lui offre sans retenue. Il lui prend la tête dans ses mains, les boit et les essuie une à une dans une douceur extrême et rare chez lui.

She smiles at him through her tears, looking at him anew as if he were a man she has just met. Is this the same man that insulted her the day she brought a lukewarm meal to work? Is this the same man who had spoken so harshly as she tried to explain some of the things that tormented her? Suddenly, she rediscovered in him the same young man who had seduced her one spring night as she left her painting classes!

The children approve and entreat:

"Come back home, come with us."

"I am going to get my things," Sally whispers. "Wait for me."

A few months later, the baby is forgotten. Sally has repainted a wall in the house; flowers, birds, clouds, sun, tornados. Children of all colors form a circle, dancing around the trees in tragic and strange ways, desiring union, a reunion, a mixture, blending the tragedy of a world in its decline, in the dusk of grey mornings.

*The angel pours the goblet on the sun, and the sun scorches the earth and burns its inhabitants, and the woman implores forgiveness and return; the islands are swallowed by the scorched mountains, they disappear into the sea, the brimstone and suffocating fire strike the inhabitants, they scream and ask for forgiveness. At the bottom of the river a stone sparkles like a diamond, its brilliance pours out upon the earth and transforms it.*

Elle lui sourit au travers de ses larmes, le regarde à nouveau comme un homme qu'elle découvre. Est-ce le même homme qui l'avait insultée un jour qu'elle lui avait apporté un repas tiède au travail ? Est-ce le même homme qui avait des paroles si dures lorsqu'elle tentait d'expliquer les choses de la vie qui la tourmentaient ? Soudain, elle revoit en lui, le jeune homme qui l'avait séduite un soir de printemps à la sortie de ses cours de peinture !

Les petites s'approchent et supplient :

— Reviens à la maison, reviens avec nous.

— Je vais chercher mes affaires, murmure Sally. Attendez-moi.

Quelques mois plus tard, le bébé est oublié. Sally a repeint un mur de la maison ; fleurs, oiseaux, nuages, soleils, tornades. Des enfants de toutes les couleurs forment des cercles, dansent sur des arbres aux formes tragiques et tordues, désir d'union, de réunion, de mixité, mélangés à la tragédie d'un monde sur son déclin, crépuscules des petits matins gris.

*L'ange verse sa coupe sur le soleil, et le soleil dessèche la terre et brûle les habitants, et la femme implore le pardon et le retour ; les îles sont englouties et les montagnes arasées, elles disparaissent dans la mer, le souffre et l'asphyxie des incendies frappent les habitants, ils crient et demandent pardon. Au fond du fleuve une pierre étincelle comme un diamant, son éclat se répand sur la terre et la transforme.*

# La pirate de l'air
# The hijacker

February 1970. Palestinian refugee camps surrounding Beirut breathe in misery, sickness, hunger, anguish, the fear of tomorrow. Under poorly-constructed tents, in tin shacks battered by wind, in tiny rooms whose walls and roofs are kept in place by stones, the rain, wind, and hail push their way in. Entire families crammed together, one on top of another; they sleep, eat, make love, quarrel, reconcile, in a total lack of privacy.

*Let those who have ears listen: the one who kills by the sword will die by the sword, one who lives in peace and gentleness will receive peace and gentleness. I saw a savage beast that climbed out of the earth and it said: let those who have eyes see and understand.*

February is difficult to bear, its cold and misery. This winter is particularly harsh, it snows in the mountains, the wind off the sea is icy! Young and old are frost-bitten, they die. Palestinian camps are shut off from the rest of the world.

Soumaya goes on watch at the front of the camp. Rifle at her right shoulder, the Palestinian scarf, a black and white *kaffiyeh* around her head and neck, encircles a refined face of great beauty. She looks out over Sabra and Chatila, watching the tents and tin houses, crowded at her feet. A sad morning rises. Beirut takes shape far away in the fog. There, in the city, the crowd awakens; it's a new day of work for people who see to their own business, earning the money they bring in, with their warm bread, their hospitable and welcoming homes. Here, for those in the camps, a new day of fever, sickness, and uncertainty begins. A new day without hope!

Février 1970. Les camps de réfugiés palestiniens autour de Beyrouth respirent la misère, la maladie, la faim, l'angoisse, la peur du lendemain. Sous des tentes mal dressées, dans des baraques de tôle malmenées par les vents, dans des pièces minuscules aux parois et toits de tanak retenus par des pierres, la pluie, le vent, la grêle s'infiltrent. Des familles entières s'entassent les unes à côté des autres ; elles dorment, mangent, font l'amour, se querellent, se réconcilient, dans la plus grande promiscuité.

*Que celui qui a des oreilles, entende : qui tue par l'épée péri-ra par l'épée, qui vit dans la paix et la douceur recevra paix et douceur. J'ai vu une bête sauvage qui montait de la terre et parlait : que celui qui a des yeux regarde et comprenne.*

Février est difficile dans le froid et la misère. Cet hiver est particulièrement rigoureux, il neige dans la montagne, le vent de la mer est glacial ! Vieillards et enfants sont gelés, ils meurent. Le camp palestinien est coupé du monde.

Soumaya monte la garde devant le camp. Le fusil à l'épaule droite, le foulard palestinien, blanc et noir - le keffieh - autour de la tête et du cou auréole un visage très fin, d'une grande beauté. Elle domine Sabra et Chatila, observe les tentes et les maisons de tanak qui se pressent à ses pieds. Un matin triste se lève. Beyrouth se dessine au loin dans la brume. Là bas, dans la ville, la foule s'éveille ; c'est un nouveau jour de travail pour des gens qui vaquent à leurs affaires, gagnent l'argent qu'ils rapporteront, avec du pain tout chaud, chez eux, dans des maisons accueillantes. Ici, pour ceux du camp, commence un nouveau jour de fièvre, de maladie et d'incertitudes. Un nouveau jour sans espoir !

*Why did you die, why am I still alive? She again sees the corpse folded in two, on the seat of the hijacked plane. You didn't ask for this mission any more than I did, and even less than I did! You had obeyed just as I had. You died and I am alive. Why did we agree to participate in the hellish machine of destruction? Yes! Zeal and faith in the struggle should have allowed us to reclaim the land that we had to abandon, to which we could not return. Was that the best strategy?*

She considers the American reporter's questions from the day before. She had accepted the interview; she had been told it would be good publicity for her people. She regrets it now.

"Do you consider yourself a heroine today, do your people see you as a new Joan of Arc?"

"Not at all. I only did my duty. Those who do their duty are not heroes."

"Do you think you have reached at least part of your goal?"

She longed to yell: "You would not be here if we had done nothing, if we had not burst out. The world would have ignored our existence if we had remained seated, begging under our tents."

*I see your face again, your generous look, we were the same age, we were full of zeal, impassioned, filled with hope...I see your face, livid on the green velour plane seat, the fire of your eyes slowly snuffed out forever, you departed to a place where I could not join you. Why you, why not me?*

Politely, she had replied:

"We obey orders. We have confidence in our leaders."

*Pourquoi es-tu mort, pourquoi suis-je encore en vie ? Elle revoit le cadavre plié en deux sur le fauteuil de l'avion détourné. Pas plus que moi, tu n'avais demandé cette mission, encore moins que moi ! Tu avais obéi comme j'avais obéi. Tu es mort et je suis en vie. Pourquoi avions-nous accepté de participer à la machine infernale de la destruction ? Oui ! Le zèle et la foi dans la lutte devaient permettre de retrouver les terres que nous avions dû abandonner, où nous ne pouvions retourner. Etait-ce la meilleure stratégie ?*

Elle pense aux questions du reporter américain, la veille. Elle avait accepté l'interview ; ce serait, lui avait-on dit, une bonne publicité pour son peuple. Elle regrette maintenant.

— Vous considérez-vous comme une héroïne aujourd'hui, votre peuple vous regarde-t-il comme une nouvelle Jeanne d'Arc ?

— Pas du tout. Je n'ai fait que mon devoir. Celui qui fait son devoir n'est pas un héros.

— Pensez-vous avoir atteint au moins partiellement votre but ?

Elle avait eu envie de crier : « Vous ne seriez pas là si nous n'avions rien fait, si nous n'avions pas fait un coup d'éclat. Le monde ignorerait notre existence si nous étions restés assis, mendiant sous nos tentes. »

*Je revois ton visage, ton regard généreux, nous avions le même âge, nous étions pleins de zèle, passionnés, emplis d'espoir... Je revois ton visage livide sur le velours vert du fauteuil de l'avion, le feu de tes yeux s'éteignait lentement, pour toujours, tu partais là où je ne pourrais te rejoindre. Pourquoi toi, pourquoi pas moi ?*

Poliment, elle avait répondu :
— Nous obéissons aux ordres. Nous avons confiance dans nos chefs.

"What do you hope to achieve?"

"We want to take back our land, construct a democratic State with the Jews."

"Have you really been pushed off your land? The stories are different, depending on who tells them, and the facts are contradictory."

The anger rose up within her. She was seething. Yet, calmly, she briefly described how the Israelis had seized their home. She had been four then. She could still see her mother trying to grab some clothing. Her mother was crying. The soldiers appeared suddenly and ordered them to leave. Her mother had begged for them to at least let her take some things. The soldiers forced them out, the butt of a rifle pressed to their backs, soldiers' boots kicking their legs. For days and nights, they had walked without resting, towards the Lebanese border. The road was long and taxing, the mass of refugees lengthening into an interminable line. Everyone had to leave their homes and possessions.

*And you, where are you now? Where did they throw your corpse? Body without burial, already decomposing, where are you? You will never again breathe in the salty mornings or the sea air, the afternoons heavy with dust from the city and the smell of machinery, the beautiful red evenings, when the sun sets over the Mediterranean, the frightening twilight that dreads the morning. No longer will you take my hand in the night, restoring my confidence and courage.*

"Are you a terrorist?"

"Who planted terrorism in this part of the world? They occupied our land, drove us away from our homes, and forced us to live in tents in refugee camps. To scare away others, they massacre some of us. Isn't this terrorism? Using the means at our disposal against terrorism and against the consequences we suffer is called resisting, defending. I am a resistance fighter, not a terrorist!"

— Qu'espérez-vous atteindre ?

— Nous voulons retrouver nos terres, construire un Etat démocratique avec les juifs.

— Avez-vous été vraiment chassés de vos terres ? Les histoires diffèrent selon qui les raconte, et les faits sont contradictoires.

La colère était montée en elle. Elle bouillonnait. Avec calme pourtant, à mots contenus, elle avait brièvement raconté comment les Israéliens s'étaient emparé de leur maison. Elle avait alors quatre ans. Elle revoit encore sa mère qui tente de rassembler quelques vêtements. Sa mère pleure. Les soldats avaient surgi et ordonné de partir. Sa mère avait supplié, qu'au moins on la laisse prendre quelques affaires. On les avait poussées dehors, la crosse des fusils dans le dos les coups de bottes dans les jambes. Elles avaient ensuite marché, des jours et des nuits sans répit vers la frontière libanaise. La route était longue et pénible, la foule des réfugiés s'allongeait en une file interminable. Tous avaient dû quitter leurs maisons et leurs biens.

*Et toi, où es-tu en ce moment ? Où l'ont-ils jeté, ton cadavre ? Corps sans sépulture, déjà décomposé, où es-tu ? Tu ne respireras jamais plus les matins salés et l'air marin, les après-midi lourds de la poussière de la ville et de l'odeur des machines, la beauté des soirs rouges, lorsque le soleil se couche sur la Méditerranée, les crépuscules angoissants qui craignent le lendemain. Jamais plus, tu ne tiendras ma main dans la nuit, me redonnant confiance et courage.*

— Etes-vous une terroriste ?

— Qui a planté le terrorisme dans cette région du monde ? On a occupé nos terres, on nous a chassés de nos maisons, forcés à vivre sous des tentes, dans des camps de réfugiés. Pour faire fuir les autres, on a massacré certains des nôtres. N'est-ce pas cela le terrorisme ? Utiliser les moyens dont nous disposons contre ce terrorisme et contre ses conséquences dont nous souffrons s'appelle résister, se défendre. Je suis une résistante, non une terroriste !

"Yet you were ready to sacrifice innocent children on a plane?"

"That was indeed terrible! But were we not also innocent? Aren't we also human? Why are we treated like livestock? Why are we treated worse than animals?"

*She thinks about the children on the plane again. She was carrying two grenades in her pockets. She ran towards the cockpit. Her heart tightened in her chest. She did not want to set off the grenades. Only to create fear, to tell the world about the condition of the children rotting in the miserable camps.*

*You too, you were once a child, then you had to flee from the Israeli boots that invaded your village, sowing terror. They killed your father in front of your whole family. You would never forget the cries of your mother, begging them to save him, to let you both go. You would never forgive them for this crime, branded on your flesh. Blood calls for blood. You would avenge your father and soothe your mother's grief. That is what you thought. Now, your mother cries because you, too, are dead. You wanted to return her honor, but she reaps solitude and misfortune. I also cry because of your absence!*

"Your means don't draw sympathy from the rest of the world. Even your Arab brothers disapprove of it."

"We know our enemies. They are not only the Zionist state, but all of the governments sold by imperialists who think only about protecting their power."

Soumaya laughs to herself when she remembers this part of the interview. She had added that the United States was their enemy because they had made the Zionist state their fifty-second State.

— Vous étiez pourtant prête à sacrifier des enfants innocents dans l'avion ?

— C'était terrible en effet ! Mais, n'étions-nous pas, nous aussi, des enfants innocents ? Comme les autres, ne faisons-nous pas partie de l'espèce humaine Pourquoi sommes-nous traités comme du bétail ? Pourquoi sommes-nous traités pire que des bêtes ?

*Elle repense aux enfants de l'avion. Elle portait deux grenades dans les poches. Elle courait vers la cabine de pilotage. Son cœur s'était serré. Elle ne voulait pas faire exploser ces grenades. Faire peur seulement, dire au monde la condition d'enfants qui croupissent dans des camps de misère.*

*Toi aussi, tu étais à l'époque un enfant, tu avais dû fuir devant les bottes israéliennes qui envahissaient le village, semaient la terreur. Ils avaient tué ton père devant toute la famille. Tu ne devais jamais oublier les cris de ta mère suppliant les soldats de l'épargner, de vous laisser partir. Tu ne devais jamais pardonner ce crime marqué dans ta chair. Le sang appelle le sang. Tu vengerais ton père et mettrais du baume dans le cœur de ta mère. C'est ce que tu pensais. Maintenant, ta mère pleure aussi ta mort. Tu voulais lui rendre son honneur, elle récolte la solitude et le malheur. Moi aussi je pleure ton absence !*

— Les moyens que vous utilisez ne vous attirent pas la sympathie du monde, vos frères arabes même vous désapprouvent.

— Nous connaissons nos ennemis. Ce n'est pas seulement l'Etat sioniste, mais tous les gouvernements à la solde des impérialistes, qui ne pensent qu'à conserver le pouvoir.

Soumaya rit intérieurement en se souvenant de ce moment de l'interview. Elle avait ajouté que les Etats-Unis étaient leur ennemi parce qu'ils avaient fait de l'Etat sioniste leur cinquante-deuxième Etat.

Now, she has a bitter taste in her mouth.

She asks herself if the message she wanted to send will reach others. Are words as strong as actions? Is an article in a newspaper just as effective as a hijacked plane? How should she continue the fight to reclaim her land, her Palestine? Is she ready to start again? Yes! If she had to, she would hijack a new plane for the Palestinian cause. She was ready to die for her people.

Ibrahim approaches her. He also carries a rifle on his shoulder, and wears white fabric checkered with black, the *kaffiyeh* symbolizing Palestinian resistance. They learned to tie it around their head from the Bedouins. Ibrahim is tall and muscular.

"I've come to take over. You can go rest."

"Have the vaccines arrived?"

"Yes! The doctors are beginning to inoculate the children. But there isn't enough for everyone. The government is tight-fisted."

"The government or the humanitarian aid?"

"Humanitarianism has to go through the government. It's inadmissible to not give it all to us. They would accept our deaths! For three days, we've been asking for serum. Fifteen people have already fallen ill with cholera. What now?"

"We have to go to the Ministry of Public Health. We've done it before and I wonder if they keep us waiting in order to be rid of us! We are a big problem for the ruling class that only thinks of making a profit. They would rather see us at the bottom of the ocean."

*And you, at this moment, my friend, my brother, where are you? At the bottom of the ocean, your corpse decaying in the canyons of the sea? Will I find you again someday, my friend, you whom I miss so much? Oh, my comrade, why did you leave so quickly?*

She looks at Ibrahim and the camp where the children of her people have come outside and begun to play in the mud.

Maintenant, elle a un goût de nausée dans la bouche.

Elle se demande si le message qu'elle voulait faire passer parviendra. Les mots sont-ils aussi forts que les actes ? Un article de journal aussi efficace qu'un détournement d'avion ? Comment poursuivre la lutte pour recouvrer sa terre, la Palestine ? Est-elle prête à recommencer ? Oui ! Si elle le devait, elle détournerait à nouveau un avion pour la cause palestinienne. Elle est prête à mourir pour son peuple.

Ibrahim s'approche d'elle. Il porte aussi un fusil à l'épaule, et l'étoffe blanche carrelée de noir, le keffieh qui symbolise la résistance palestinienne. Des bédouins ils ont appris à le nouer autour de la tête. Ibrahim est grand et musclé.

— Je viens prendre la relève. Tu peux aller te reposer.

— Les vaccins sont arrivés ?

— Oui ! Les médecins vont commencer à inoculer les enfants. Mais il n'y aura pas assez de sérum. Le gouvernement est avare.

— Le gouvernement ou l'aide humanitaire ?

— L'humanitaire doit passer par le gouvernement. C'est inadmissible de ne pas tout nous rendre. Il accepterait que nous crevions ! Voilà trois jours que nous réclamons ce sérum. Quinze personnes déjà sont atteintes du choléra. Que faire ?

— Il faudrait aller au Ministère de la santé publique. Nous l'avons déjà fait et je me demande s'ils ne nous font pas attendre pour se débarrasser de nous ! Nous sommes un trop grand problème pour cette classe dirigeante qui ne songe qu'au profit. Ils préféreraient nous voir au fond de l'océan.

*Et toi, en cet instant, mon camarade, mon frère, où es-tu ? Au fond de l'océan, cadavre abîmé dans les fosses marines ? Te retrouverai-je quelque jour, mon ami, toi qui me manques tant ? Oh, mon camarade, pourquoi es-tu parti si vite ?*

Elle regarde Ibrahim et le camp où les enfants de son peuple commencent à sortir et jouent dans la boue.

"I will go speak with the minister. Every moment counts, I'll go there now, I'll rest later."

"Another problem! We've just learned that they have cut our food supplies in half. The UN Relief truck will only bring half the daily rations today. With the little given to us, we barely have enough to keep our people alive. The lack of food, plus disease will be too much for feeble and tired bodies who will die. Can you tell him this too? Try, in any case! It is not a given that he will agree to see you."

"I'll use my charm! All the misfortune we suffer all at once, could it be planned? Is this the final straw to make us all disappear?"

Once again, she looks at Ibrahim's chiseled face, sharply defined in the fresh morning air. In other circumstances, she could have loved him. Now is neither the time nor the place for romantic sentiments. A unique, exclusive love cannot exist in a life of responsibilities and struggle. There is too much to do, too much that must be given to her abandoned, martyred people to consider a sweet, intimate relationship. In the camp, everyone loves each other. All their comrades stick together; a feeling much more powerful than love unites them. The will to live keeps them alive.

*This is what we are taught. This is the official ideology. Indeed, love is made and unmade in the midst of the engagement and struggle for liberty and justice. It is neither contradictory, nor exclusive. I myself have loved, and I will love again, I will tremble still in the red twilights of Beirut which envelop the camps, my heart will beat again even if I must smother the passion that reignites within me. But, it's true, all things considered, if necessary, I am willing to sacrifice love; it is my commitment to the cause which matters!*

— Je vais aller parler au ministre. Chaque minute compte, j'y vais tout de suite, je me reposerai plus tard.

— Un autre problème ! Nous venons d'apprendre que les vivres ont été coupés par deux. Le camion de l'UNRWA n'apportera aujourd'hui que la moitié des rations quotidiennes. Avec le peu qu'on nous donnait, nous arrivions tout juste à maintenir ce peuple en vie. Le manque de nourriture, plus la maladie, va achever les corps affaiblis et fatigués. Peux-tu lui en parler aussi ? Essaie en tout cas ! Il n'est pas dit qu'il t'accorde une audience.

— Je vais user de mon charme ! Tous ces malheurs qui nous arrivent en même temps sont-ils un coup monté ? Est-ce le complot final pour nous faire tous disparaître ?

A nouveau, elle regarde Ibrahim dont le visage régulier se découpe dans l'air frais du matin. En d'autres circonstances, elle aurait pu l'aimer. Maintenant, ce n'est ni le temps ni le lieu des sentiments amoureux. Un amour unique et exclusif ne peut exister dans une vie d'engagement et de lutte. Il y a trop à faire, trop à donner à tout un peuple abandonné, martyre, pour songer à une vie intime et douce. Dans le camp, ils s'aiment tous les uns les autres. Tous les camarades se serrent les coudes, un sentiment plus puissant que l'amour les unit. La volonté de vivre les maintient en vie.

*C'est ce que l'on nous enseigne. C'est l'idéologie officielle. En fait, des amours se font et se défont au milieu de l'engagement et de la lutte pour la liberté et la justice. Ce n'est ni contradictoire ni exclusif. Moi-même j'ai aimé, et aimerai encore, je frémirai encore dans les crépuscules rouges de Beyrouth qui enveloppent les camps, mon cœur battra à nouveau même si je dois étouffer la flamme qui rejaillit en moi. Mais, c'est vrai, tout compte fait s'il le faut, je suis prête à sacrifier l'amour ; c'est l'engagement qui importe !*

"I'll see what I can do," she says, setting off.

She goes to her encampment, freshens up, changes jeans and boots, puts the rifle down in a safe place, arranges the *keffiyeh* around her shoulders to better show her prominent cheekbones and the beautiful face of a woman now famous across the world for her audacity and tenacity. She leaves the camp for the city.

*The light from the lamp will never burn in your house again, the voices of husband and wife will never more be heard, a stone will be lifted and thrown, the city will no longer be the city, we will never find it again, and with it the sound of music will disappear into the waves of the sea.*

— Je verrai ce que je peux faire, dit-elle en s'éloignant.

Elle va à sa baraque, se rafraîchit le visage, change de jeans et de bottes, pose le fusil en lieu sûr, redrape le keffieh autour de ses épaules pour mieux faire ressortir les pommettes saillantes et le beau visage d'une femme devenue célèbre dans le monde entier par son audace et sa ténacité. Elle quitte le camp pour la ville.

*La lumière de la lampe jamais plus ne brillera chez toi, la voix de l'époux et de l'épouse jamais plus ne s'entendra, une pierre sera soulevée et jetée, la ville ne sera plus la ville, on ne la retrouvera plus, avec elle le son de la musique aura disparu dans les flots.*

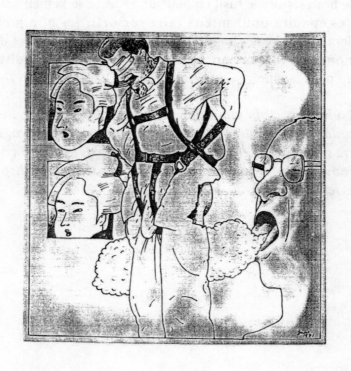

# La servante kurde
# The Kurdish servant

Beirut, 1972. Poor neighborhoods. Invisible slums, hidden, hiding, that tourists will never see! Narrow alleys that open almost imperceptibly onto avenues and boulevards, back-alleys of the poor, Armenian, Palestinian, Syrian, Lebanese, Kurdish refugees, farmers removed from South Lebanon. Miniscule rooms, pock-marked walls, uneven, pierced tin roofs. Families of seven, eight, nine, twelve children, even more, piled up, sharing the space, a lack of privacy. Most of the children are illiterate, few are educated; the school fee apparently costs very little, though it is still too much for the impoverished. Not everyone has the privilege of being educated in Lebanon.

*She is fallen, she has wiped out Babylon, beautiful, great Babylon, all the people envied her, now the unclean spirits, birds and filthy insects overrun the city where delicious wines and succulent dates grew in abundance. She is no more; the fire burns her and reduces her to ashes.*

A lot of servants that work in wealthy neighborhoods live in these backstreets. Like this one, a Kurdish servant. She sacrifices to feed her eight children and send some to school; most of them cannot attend, they play in the mud and refuse that piles up in the little courtyards. On summer days, the smell is nauseating, reaching their stomach, giving them the urge to vomit. Rough gutters run from houses by the main road where the children are playing, infested with vermin and filth. These gutters contain green, stagnant water, human waste, animals and rotten vegetation. Just as in China before Mao, said a Chinese painter friend who knew that China well; he was surprised to find the same images in Lebanon.

Beyrouth 1972. Quartiers des pauvres. Quartiers invisibles, qui se cachent, que l'on cache, que le touriste en tout cas ne voit jamais ! Ruelles étroites qui débouchent presque imperceptiblement sur les avenues et boulevards, ruelles des pauvres, réfugiés arméniens, palestiniens, syriens, libyens, kurdes, paysans dépaysannés du Liban sud. Pièces minuscules, parois trouées, toits de tanak ondulés et percés. Familles de sept, huit, neuf, douze enfants, voire davantage, entassées, tant bien que mal dans la proximité, la promiscuité. La plupart des enfants sont illettrés, peu sont scolarisés ; l'écolage apparemment coûte très peu, pourtant trop pour les plus pauvres. Ne s'instruit pas qui veut au Liban.

*Elle est tombée, elle s'est éteinte Babylone, la belle et grande Babylone, tous les peuples l'enviaient, maintenant les esprits impurs, les oiseaux et les insectes immondes envahissent la ville où abondaient les vins délicieux et les dattes succulentes. Elle n'est plus rien; le feu va la brûler et la réduire en cendres.*

Beaucoup de domestiques qui travaillent dans les quartiers aisés habitent dans ces ruelles. Voici l'une d'elles, une servante kurde. Elle se sacrifie pour nourrir ses huit enfants et donner une instruction à quelques uns d'entre eux ; la plupart ne peuvent aller à l'école, ils jouent dans la boue et les détritus qui s'entassent dans les courettes. Les jours d'été, l'odeur est nauséabonde, soulève le cœur, donne envie de vomir. Des caniveaux rudimentaires s'échappent des maisons vers la cour centrale où jouent les enfants couverts de vermine et de croûtes. Dans ces caniveaux l'eau stagne, verte, des déchets humains, animaux, végétaux croupissent. Comme dans la Chine d'avant Mao, dit un ami peintre chinois qui a bien connu cette Chine-là et s'étonne de retrouver au Liban les mêmes images.

*She who loved glory and riches, today she is cursed because she does not know how to return what had been given to her. She did nothing but take. Today she drowns in her decay. She will not find any good wine, nor milk or dates; she is bulimic and replete with it, without sharing. May the one who has ears hear and remember!*

The afternoon is humid, heavy, stifling, the air is charged with a thousand specks of dust; flies and mosquitoes gather on the skin of children and old ones that don't manage to shoo them away; they dig in, constantly returning to feed. Offering a hot coffee to her host, the servant holds the cup that has been heated and reheated; bacteria eliminated; the embarrassed woman, shocked by this world unknown to her, seized by a shame that will not leave her, accepts it, and drinks in silence.

*All the cataclysms fall upon her at the same time. No one wants to visit the mythical ruins that symbolized the grandeur of Mesopotamia any longer. It will take centuries for her to rediscover the beauty of her fruit trees and smooth olive oil.*

The neighbor recounts that, Oum Khaled, as she does every morning, was up at five o'clock, when dawn began to break. She lined up the pieces of bread, the olives, and the white cheese on the table. Eight children followed her around, and threw themselves upon the food. Then she prepared for washing, putting a big sauce pan of water on the little stove. She twisted under the weight of it. She was not well, her movements reflected an intense pain that spread across lower her right side. She should have gone to see the doctor; she probably needed an operation, but she did not have the means. An enormous blue slash disfigured her lower lip, the result of a quarrel with her husband from the day before. She had dared to say that Bahnam, the son of his first wife, should go search for work to help out with household expenses. He had hit her in the face, ordering her to shut up!

*Elle aimait la gloire et la richesse, elle est aujourd'hui maudite parce qu'elle n'a pas su rendre ce qui lui avait été donné. Elle n'a fait que prendre. Aujourd'hui elle se noie dans sa pourriture. Elle ne retrouvera ni le bon vin, ni le lait, ni les dattes ; boulimique, elle s'en est repue sans partager. Que celui qui a des oreilles entende et se souvienne !*

L'après-midi est humide, lourd, étouffant, l'air est chargé de mille poussières, les mouches et les moustiques s'agglutinent sur la peau des enfants et des vieillards qui ne parviennent plus à les chasser ; ils s'incrustent, reviennent constamment à la charge. La servante tient à offrir à son hôte un café brûlant, cuit et recuit, les bactéries sont éliminées ; l'hôte embarrassée, choquée par ce monde dont elle ignorait l'existence, saisie d'une honte qui ne la quitte plus, accepte, boit en silence.

*Tous les cataclysmes sur elle se précipiteront à la fois. Plus personne ne veut visiter cette ruine mythique qui symbolisait la grandeur de la Mésopotamie. Il faudra des siècles pour qu'elle retrouve la beauté de ses arbres fruitiers et l'huile onctueuse de ses olives.*

Comme tous les jours, raconte une voisine, Oum Khaled était ce jour là debout depuis cinq heures du matin, à l'heure où l'aube commence à poindre. Elle avait aligné les morceaux de pain, les olives et le fromage blanc sur la table. Les huit enfants suivaient ses gestes, et s'étaient précipités sur la nourriture. Puis elle avait préparé la toilette, posé une grande casserole d'eau sur le primus. Elle fléchissait sous le poids. Elle avait mal, ses gestes reflétaient une douleur aiguë ressentie depuis quelque temps du côté droit, au bas du ventre. Elle aurait dû aller voir le médecin ; il faudrait probablement une opération, mais elle n'en avait pas les moyens. Une énorme balafre bleue défigurait sa lèvre inférieure, séquelle d'une querelle avec son mari le jour d'avant. Elle avait osé dire que Bahnam, le fils de sa première épouse devrait chercher du travail pour aider aux dépenses de la maison. Il l'avait frappée au visage, lui ordonnant de se taire !

Her husband got up. He came out to the landing and sat down to smoke. She brought him some bread and some cheese that he took without thanks, without a glance, without asking if she had even eaten! He casually watched the flames of the little stove. He turned toward her:

"The next time you attack Bahnam, you'll receive a beating! You know that there is no work! You only have to work a little harder to feed your children! Do you understand?"

"I understand," she said with resignation. "Should I wake him?"

"No, let him sleep. I will take care of him when he gets up. Tend to the others and don't be late for work. And don't forget to bring your wages back without stopping on your way home!"

Oum Khaled was quiet and started to undress the little children. She returned to the small and only room, with its dirt floor, tin roof. Bahnam, a seventeen year old boy, was spread out on their only straw mat. She set the children's clothing in the corner and returned to get the heated water. She bent under the burden, even though she had become used to that basin and her arms were strong, built up by all the work she had endured to feed her family who would not stop growing, despite the destitution: her husband, without work, she, Bahnam and the eight children.

That morning, the throbbing pain that tormented her became insufferable. Her husband looked at her with indifference. He couldn't care less about the painful grimace across her face; he never dreamt to help her! He didn't even see her! Suddenly, Oum Khaled stumbled on the foot of the door and dropped the basin of boiling water. The basin made a loud crash when it fell, the hot water poured on the ground, spurting onto the sleeping boy who woke up screaming.

Le mari maintenant se levait. Il est sorti sur le palier et s'est assis pour fumer. Elle lui a apporté du pain et du fromage qu'il a pris sans remercier, sans un regard, sans lui demander si elle avait mangé, elle ! Il regardait nonchalamment les flammes du primus. Tourné vers elle :

— La prochaine fois que tu t'en prends à Bahnam, tu recevras une raclée ! Tu sais bien qu'il n'y a pas de travail ! Tu n'as qu'à travailler un peu plus pour nourrir tes enfants ! Tu as compris ?

— J'ai compris, dit-elle avec résignation. Dois-je le réveiller ?

— Non, laisse-le reposer, qu'il dorme, je m'en occuperai lorsqu'il se réveillera. Prends soin des autres et ne te mets pas en retard pour le travail. Surtout, rapporte bien ton salaire sans t'arrêter en route !

Oum Khaled se tait et commence à déshabiller les petits. Elle rentre dans la minuscule et unique pièce, sol de terre, toit de tanak. Bahnam, un garçon de dix-sept ans est étendu sur l'unique natte de paille tressée. Elle pose les habits des petits dans un coin et retourne chercher l'eau qui chauffe. Elle ploie sous le fardeau. Elle avait pourtant l'habitude de cette bassine et ses bras sont forts, entraînés aux travaux de ménage qu'elle enchaîne les uns aux autres pour nourrir cette famille qui ne cesse de grandir malgré le dénuement : son mari sans travail, elle, Bahnam et les huit petits.

Ce matin-là, la douleur lancinante qui la tourmentait devenait insoutenable. Le mari la regarde avec indifférence. Il n'a que faire du rictus de douleur qui barre son visage ; il n'aurait pas songé à l'aider ! Il ne la voit même pas ! Soudain, Oum Khaled trébuche sur le pas de la porte et laisse tomber la bassine d'eau bouillante. La bassine fait un grand bruit en tombant, l'eau chaude se répand par terre, gicle sur le garçon endormi qui se réveille en hurlant.

The husband's gaze was enflamed with anger. He leapt to his feet, caught the woman by the hair and gave her a swift thrashing. Her wrinkled face, prematurely marked from so many worries tensed, her mouth twisted into a painful grimace. He beat the tired, sick body that only knew suffering, misery, and painful work, never softness, never caresses, never affection, or a friendly gesture.

"You wanted to kill him, you miserable wretch! You'll see! Take this!"

He kicked her. The woman's body was bent in two. She tried to speak, to say that she did not do it on purpose, that she has been in terrible pain for several days. Hadn't she already told him, in his utter indifference? A hoarse cry escaped from her mouth. A violent pain shot through her stomach, she collapsed on the ground with a coarse rasping. The husband pushed her away with his foot and went to console Bahnam who was sniveling on the mat.

The small children grouped around their mother. They stared at her. They were afraid to touch her. She was very pale, her face became more and more gray. A trickle of blood ran from her mouth that was twisted with pain. The little ones were frightened and did not understand, the smallest child called out:

"Ma, ma…."

She did not respond, she had already departed, couldn't hear them anymore. Wouldn't she go on like any other day, hearing them, taking them in her arms one after the other, washing them, dressing their wounds, rocking them, giving them something to eat?

They were naked in the mud, standing in front of her; they could not turn their gaze from this person who meant the world to them. They were cold. They were scared. They trembled as they looked at her sinking into the silence of death. The woman became no more than a bundle of unmoving flesh and bones. They didn't understand that she was already gone and they waited.

Le regard du mari s'enflamme de colère. Il se lève d'un bond, attrape la femme par les cheveux et la gifle à toute volée. La figure ridée prématurément marquée par tant de soucis se crispe, la bouche est tordue par une grimace de douleur. Il frappe le corps fatigué et malade qui n'a connu que souffrance, misère travaux pénibles, jamais de douceur, jamais de caresses, jamais de tendresse, de geste amicale.

— Tu as voulu le tuer malheureuse ! Tu vas voir ! Tiens !

Il lui donne des coups de pieds. Le corps de la femme se plie. Elle tente de parler, de dire qu'elle ne l'a pas fait exprès, qu'elle souffre d'une terrible douleur depuis plusieurs jours. Ne le lui a-t-elle d'ailleurs pas déjà dit dans l'indifférence totale ? Un cri rauque sort de sa bouche. Une douleur violente vient d'éclater dans son ventre, elle s'affaisse sur le sol dans un râlement rauque. Le mari la repousse du pied sur le côté et rentre consoler Bahnam qui pleurniche sur la natte.

Les petits se sont groupés autour de la mère. Ils la regardent. Ils craignent de la toucher. Elle est très pâle, son visage devient de plus en plus gris. Un filet de sang sort de la bouche tordue par la douleur. Les petits sont effrayés et ne comprennent pas, le plus petit appelle :

— Ma, ma...

Elle ne répond pas, elle n'est déjà plus là, ne les entend plus. Ne va-t-elle pas enfin, comme tous les jours, les entendre, se lever, les prendre dans ses bras les uns après les autres pour les laver, panser leurs blessures, les bercer, leur donner à manger ?

Ils sont nus dans la boue, debout devant elle, ils ne peuvent détacher leurs regards de cet être qui est tout pour eux. Ils ont froid. Ils ont peur. Ils tremblent en la regardant s'enfoncer dans le silence, celui de la mort. La femme n'est plus qu'un paquet d'os et de chair figés. Ils ne comprennent pas qu'elle n'est déjà plus là et attendent.

*An angel appeared and said: Those who adore the beast and lose control of themselves will drink the wine of rage and will die. The wine of rage will run over the earth, it will destroy those that commit wrongdoing in His Name. Those that betray His message of peace and love shall be refused harmony and accord; they will suffer day and night in severe pain for the suffering they have caused; they will receive eternal punishment for the violence and blows they have inflicted. The city, witness to the brutality, will be drowned in a disgraceful mud, until the day of resurrection, the day of reciprocated tenderness.*

Un ange apparaît et dit : celui qui adore la bête et perd le contrôle de soi boira le vin de la colère et mourra. Le vin de la colère se répandra sur la terre, il anéantira ceux qui auront fait le mal en Son Nom. Ceux qui auront trahi Son message de paix et d'amour se verront refuser l'harmonie et l'entente ; ils souffriront jour et nuit dans des douleurs extrêmes comme ils ont fait souffrir, ils recevront le châtiment éternel comme ils ont infligé la violence et les coups. La ville, témoin de la brutalité, sera noyée dans une boue ignominieuse jusqu'au jour de la résurrection, le jour de la tendresse réciproque.

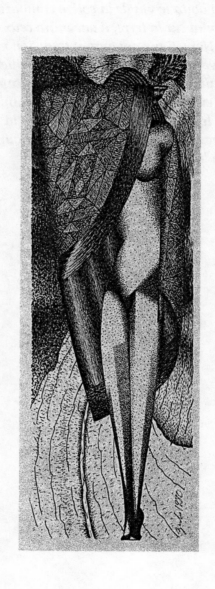

# La femme qui pleurait tous les matins

# The woman who cried every morning

March 1975. The state of Indiana, empty, flat plains, roads stretching out to infinity, one drives miles upon miles without encountering a living soul; on the horizon, a single gloomy, gray line ends the gaze. Trees, huge skeletons torn to pieces by the harsh winter, are startling at curves in the road. The cities – if one could call them that – all resemble each other, sad replications: there is always a "Main Street" with its identical window shops, dime-stores with cheap products in bad taste, huge garishly colored posters, adorned with proud artificial smiles and superficial consumer products, neon signs flashing, always the same dazzling slogans filled with insipid clichés. Houses dispersed within an empty expanse, all the same. Traveling across a frightening expanse of sadness, solitude and desolation.

*My home has been taken from me, it has been taken far from me, like a shepherd's tent. Like a weaver I have woven my life, and I have begun to let tears fall from my eyes over the foolishness of men who understand neither my anguish, nor my life, nor the life of others. My day's work is swallowed up by the water of the stream; in vain have I sought a friendly hand in the night of my despair.*

Sandra lived on a high green hill. Her house was like that of fairy tales. Slate roof, shutters pierced with a heart in the middle of white walls cut from nougat. The chimney to the West bore down upon it, reducing the building's stature.

Mars 1975. Etat d'Indiana, plaine monotone, vide, routes filant à l'infini, on roule miles sur miles sans rencontrer âme qui vive, à l'horizon, seule une ligne morne et grise arrête le regard. Des arbres, grands squelettes déchiquetés par la rudesse de l'hiver, surprennent au tournant d'une route. Les villes - si l'on peut appeler cela des villes - se ressemblent toutes, se répliquent tristement : toujours la "main street" et ses magasins aux vitrines identiques, ses dimes stores aux produits bon marchés et de mauvais goût, les grandes affiches aux couleurs criardes, aux sourires artificiels vantant des produits de consommation superficiels, néons clignotant, toujours les mêmes slogans éblouissants de clichés insipides. Maisons dispersées, sur une étendue vide, toutes semblables. Voyage dans un espace effarant de tristesse, de solitude et de désolation.

*Ma demeure m'a été arrachée, elle a été emportée loin de moi comme une tente de bergers. Comme un tisserand j'ai enroulé ma vie, et j'ai commencé à pleurer les larmes de mes yeux sur la folie des hommes qui ne comprennent ni mon chagrin, ni ma vie ni la vie des autres. Le travail de mes jours s'est englouti dans l'eau du ruisseau, en vain j'ai cherché la main amie dans la nuit de mon désespoir.*

Sandra habite en haut d'une colline verte. Sa maison est celle d'un conte de fées. Toit d'ardoises, volets percés d'un cœur au milieu de murs blancs coupés dans du nougat. La cheminée à l'ouest écrase, réduit la construction.

Sandra didn't often see the sun; the air was invaded by smoke from the neighboring factory. Even if there weren't any smoke, she would still hardly ever see it anyway. Shut inside the house all day long, she constantly sewed and embroidered in the company of the television. Every morning, her two young, blond children went off to school. She had vaccinated them against all the childhood illnesses to be certain that they would not lose a day of classes. Sandra's husband was a businessman, always out; Sandra was almost always alone. She liked being alone. She told herself stories while kneading pie dough and peeling potatoes. Every summer, she repainted the house again, inside and out; nothing to be done; winter and spring, the paint flaked off and fell from the walls. Sandra did not leave except to go to church on Sundays, for a parish meeting on Wednesday evenings, or to run errands when her husband could not do them. For a while, she took charge of the missionary women's club; that monopolized her too much, she did not like to go out, so she stopped doing it.

It started one winter's day, Sandra began to cry every morning. Her husband and children had left for the day; as always, she was alone but didn't have any desire to do the dishes, to clean the floor and carpet, to prepare the tasty pies, creamy filling or crusty potatoes at which she excelled. She recoiled in the face of the accumulated disorder, she sat in a corner and cried. If there were a ray of sunshine, she would go out at noon, stretching out on grass that she no longer mowed, breathing in lungfuls of air reeking of the factory and pesticides. Sometimes, she even went out in the evening to look at the stars and fill herself with the beauty of the moment. Her family, especially her mother, no longer dared ask her how she was, as she would deliver a long line of incoherent phrases and annoying details, which often ended in a rush of tears.

Sandra ne voit pas souvent le soleil, l'air est envahi par la fumée de l'usine voisine. S'il n'y avait pas de fumée, elle ne le verrait d'ailleurs guère davantage. Enfermée à longueur de jour dans la maison, en permanence elle coud et brode en compagnie de la télévision. Tous les matins, ses deux petites filles blondes vont à l'école. Elle les a fait vacciner contre toutes les maladies infantiles pour être certaine qu'elles n'auraient pas à manquer un jour de classe. Le mari de Sandra est commerçant, toujours dehors ; Sandra est presque toujours seule. Elle aime être seule. Elle se raconte des histoires en pétrissant la pâte à tarte et en pelant les pommes de terre. Chaque été, elle repeint la maison à neuf, extérieur et intérieur ; rien n'y fait ; hiver et printemps, la peinture s'écaille et tombe des murs. Sandra ne sort que pour l'église, le dimanche, pour une réunion de paroisse le mercredi soir, ou pour faire les courses lorsque son mari ne peut les faire. Un certain temps, elle a pris en charge le club des dames missionnaires ; ça l'accaparait trop, elle n'aime pas sortir, elle a cessé de le faire.

Un jour d'hiver, Sandra a commencé à pleurer tous les matins. Mari et enfants partis pour la journée, comme d'habitude, elle était seule mais n'avait plus envie de faire la vaisselle, de nettoyer sol et moquette, de préparer les tartes appétissantes, les purées onctueuses ou les pommes de terre croustillantes qu'elle réussissait si bien. Elle reculait face au désordre qui s'accumulait, s'asseyait dans un coin et pleurait. S'il y avait un rayon de soleil, elle sortait à midi, s'étendait sur le gazon qu'elle ne tondait plus, respirait à pleins poumons l'air empesté par l'usine et les pesticides. Parfois même, elle sortait le soir regarder les étoiles et s'imprégner de la beauté du moment. Sa famille, sa mère surtout, n'osaient plus lui demander de ses nouvelles, elle débitait alors un long discours de phrases incohérentes et de détails ennuyeux, qui souvent se terminait en crise de larmes.

One day her neighbor found her in tears, her head in her hands at the edge of the table in the kitchen; she encouraged her to go and see a psychiatrist. This she did. She returned with different-sized bottles filled with pink, white, orange and brown pills.

Everything seemed to be going better. The pastor had long conversations with her; she discovered that the death of her father deeply distressed her; she had found herself without the moral support he had provided her, support that her husband had not known or not been able to give her. She became a fervent believer in the Christian faith and stopped taking the psychiatrist's medication.

Her husband proposed a bigger house, a car and outings. She refused the house and the outings, accepting the car because she knew that he needed it. She resumed her daily activities and her housework. She started painting the walls and mowing the grass again.

Today she is calm and serene. She continues to talk excitedly and it is difficult to have a conversation with her. She appears to be pursuing a monologue, addressing herself. She likes to report on what her neighbors say and do. When she reports the problems encountered by her neighbors, one has the feeling that she takes on their characteristics. She no longer has crying fits, and in the little medicine cabinet in the bathroom, the bottles of colored pills remain half full. At night, she no longer contemplates the stars when they light up the firmament, the sun no longer caresses her at noon with its blond rays.

*Yes, I will fit blinders over your muzzle, and the bit between your jaws, and I will take you back whether you like it or not by the path from which you came, you will accept my yoke and you will submit yourself to me in obedience and submission. The moon and the stars will dry up and the sun will disappear forever.*

Un jour la voisine la trouva en larmes, la tête dans les mains posées sur le bord de la table de cuisine ; elle lui conseilla d'aller voir un psychiatre. Ce qu'elle fit. Elle en revint avec des flacons de différentes tailles emplis de pastilles roses, blanches, oranges et brunes.

Tout semblait aller mieux. Le pasteur eut avec elle de longues conversations ; elle découvrit ainsi que la mort de son père l'avait bouleversée ; elle s'était trouvée dépourvue du soutien moral qu'il lui apportait, que son mari n'avait pas su ou pu lui donner. Elle devint fervente dans la foi chrétienne et cessa d'avaler les pastilles du psychiatre.

Son mari lui proposa une maison plus grande, une voiture et des sorties. Elle refusa la maison et les sorties, accepta la voiture parce qu'elle savait qu'il en avait besoin. Elle reprit ses activités journalières et ses travaux de maison. Elle recommença à peindre les murs et à tondre le gazon.

Aujourd'hui elle est calme et sereine. Elle continue à parler avec volubilité et il est difficile d'avoir une conversation avec elle. Apparemment, elle poursuit un monologue qui s'adresse à elle-même. Elle aime rapporter ce que les voisines disent et font. Lorsqu'elle relate les problèmes rencontrés par ses voisines, on a le sentiment qu'elle vit leur personnage. Elle n'a plus de crises de larmes, et, dans la petite pharmacie de la salle de toilette, les flacons aux pastilles colorées demeurent à moitié pleines. Le soir, elle ne contemple jamais plus les étoiles quand elles s'allument au firmament, le soleil ne la caresse jamais plus à midi de ses rayons blonds.

*Oui, je mettrai la nazière à ton nez et le mors entre tes mâchoires, et je te ramènerai bel et bien par le chemin d'où tu es venue, tu accepteras mon joug et tu te plieras devant moi dans l'obéissance et la soumission. La lune et les étoiles tariront et le soleil disparaîtra pour toujours.*

# La femme sacrifice
# Sacrificial woman

Beirut, July 1981. Heat and violence. Every one out of three nights, the inhabitants must find a shelter. Inside the shelters, one chokes. Cigarettes, dragged by anguished smokers, make the atmosphere un-breathable. Outside, clans fight, they exchange bombs which explode upon buildings, destroying the worst ones, weakening the strongest ones, making huge and sinister holes; glass panes shatter. Pillagers risk their lives to rob rich people's apartments, taking as much as they can so they can quickly resell their treasure illegally on the black market. The morning after these nights of fear and panic, while some collect the injured and the dead and transport them towards the hospitals, people leave their shelters, breathe in the smell of death and destruction, realize the extent of the damage, call their friends and relatives, catch up on their news.

*And then the water becomes blood and I hear the angel warning: they have spilled blood; they will die by the blade, because blood calls for blood and revenge seeks revenge. In the sea, the bodies of the living will be found dead. A great sadness will strike the entire city. And the water in the sea will be transformed into blood.*

This summer is particularly hot. People who have the means take refuge in the mountains to escape from the suffocating humidity of the city and violence of the armed forces. The rich, the bourgeois, often have or rent two houses: one in town, and the other in the mountains. Some also have a cabin or a cottage by the sea, maybe a studio, or a real chalet in a ski resort. As for poor people, they remain crowded in unsanitary houses or over-populated camps lacking everything, especially water and electricity.

Beyrouth, juillet 1981. Chaleur et violence. Une nuit sur trois les habitants doivent se terrer dans les abris. On y étouffe, les cigarettes, grillées à la chaîne par des fumeurs angoissés, rendent l'atmosphère irrespirable. Au dehors les clans s'affrontent, échangent des obus qui s'écrasent sur les immeubles, détruisent les plus mauvais, percent dans les plus solides d'énormes et funestes trous ; les vitres volent en éclats ; les pillards risquent leur vie pour dévaliser les appartements des riches, prendre tout ce qu'ils peuvent, et revendront leur butin à la sauvette sur des marchés de fortune. Au matin de ces nuits d'effroi et de peur, tandis qu'on ramasse les blessés et les morts et les transporte vers les hôpitaux, les gens sortent des abris, respirent l'odeur de la mort et de la destruction, constatent l'ampleur des dégâts, téléphonent à leurs proches, prennent des nouvelles des uns et des autres.

*Alors l'eau devient sang et j'entends l'ange avertir : ils ont versé le sang, ils mourront par l'épée, car le sang appelle le sang et la vengeance appelle la vengeance. Dans la mer, on retrouvera les corps des vivants, morts. Et un grand malheur frappera toute la ville. Et l'eau de la mer se transformera en sang.*

Cet été est particulièrement chaud. Les habitants qui en ont les moyens se réfugient à la montagne pour échapper à l'asphyxiante moiteur de la ville et à la violence des milices. Les riches, les bourgeois possèdent ou louent fréquemment deux maisons : l'une en ville, l'autre à la montagne. Certains ont aussi une "cabine" ou un "chalet" au bord de la mer, soit un studio, ou encore un véritable chalet dans une station de ski. Les pauvres, quant à eux, restent confinés dans des maisons insalubres ou des camps surpeuplés, manquant de tout, surtout d'eau et d'électricité.

*All will be surprised to see the beast. Soon, it will no longer exist, justice will finally reign over the world, and goodness will triumph. There will be neither rich nor poor, everyone will be equal, and each one will receive his portion of the land's riches. Upon the recovered wounds of the city, waves of orange blossom water will spread; the wounds will be cured with oil from olive trees across the desolated Middle East. A balm produced by all the olive, hazel and almond trees, will fill in the cracks of the earth, restoring its softness and its ability to heal.*

On less destructive days, courageous Beirutis come down from the mountains to work and return at mid-day. Often they must cross the demarcation line that all fear crossing, take the road next to the Museum, the one dividing the city in two, cross the Bridge of Death where snipers have already created a long list of victims. In early afternoon, the capital becomes deserted and quiet; those who couldn't leave due to a lack of means or time, take a nap in the shade, under a mosquito net. At the seaside, unwary people tan their bodies during the hottest hours; some already appear black, others are burned by ultra-violet rays that cross the thick layer of humidity, a mist of evaporated sea.

*I hear the voice of a crowd screaming in the heat of a world where it suffocates. That great city is destroyed. Rejoice and bring your offerings. She has been judged according to the sin she has committed. Babylon has fallen in an instant and her song will never be heard again. The blood of prophets and just people was found there.*

*Tous seront surpris de voir la bête. Bientôt, elle n'existera plus, la justice régnera enfin sur le monde, le bien triomphera. Il n'y aura plus ni riches ni pauvres, tous seront égaux, chacun recevra sa part des richesses de la terre. Sur les douleurs apaisées de la ville, des flots d'eau de fleur d'oranger se répandront ; les plaies seront guéries grâce à l'huile des oliviers de tout le Proche-Orient meurtri. Un baume produit par tous les oliviers, noisetiers, amandiers, remplira les crevasses de la terre, répandra sa douceur et son pouvoir de guérison.*

Les jours moins meurtriers, des Beyrouthins courageux tôt le matin descendent de la montagne pour travailler et remontent à la mi-journée. Souvent ils doivent franchir à pied la ligne de démarcation, la route près du Musée qui coupe la ville en deux, passer par le Pont de la Mort où les francs-tireurs ont déjà fait tant de victimes, que tous craignent de traverser. En début d'après-midi, la capitale est déserte et silencieuse, ceux qui n'ont pu quitter faute de moyens ou de temps font la sieste à l'ombre, sous une moustiquaire. Au bord de la mer, des imprudents brunissent leurs corps au soleil implacable de cette heure fatidique ; certains sont déjà noirs, d'autres sont brûlés par les ultraviolets qui traversent l'épaisse couche d'humidité, une brume de mer évaporée.

*J'entends la voix d'une foule qui hurle dans la chaleur d'un monde où elle étouffe. Cette grande ville est détruite. Réjouissez-vous et apportez vos offrandes. Elle a été jugée pour le mal qu'elle a commis. Babylone a été abattue en un instant et l'on n'entendra plus jamais son chant. On y a trouvé le sang des prophètes et des justes.*

Micheline has washed the breakfast dishes. She walks around her spacious house from room to room, mechanically picking up toys thrown on the ground by the children before they left for school. The night was calm, she takes advantage of this; one doesn't know what today or tomorrow will bring. She always carries a bag with a flashlight, objects and essential documents that she needs to take with her to the shelter. Soon she will attend a literature class in a building near her home. The weather is very hot, she is already sweating. She goes to her room to put on a lighter dress.

Suddenly, someone knocks on the door. Her heart skips a beat. She sees a square-shaped silhouette behind the glass-paned door. It is he, the man who makes her heart throb; his look makes her feel like a real woman and his gaze indicates an exclusive desire. Her husband has neither this look nor that sensual warmth; he abandons her night after night, he lacks interest in all things sexual. The man behind the door comes to talk to her about his marital problems; he knows how to call upon the generous heart of this woman who likes to help others. He knows how to talk to her. In reality, he wants to discuss something entirely different with her. Micheline hesitates, should she open up? Sexually dissatisfied, she fears falling into the trap of temptation; she would lose her control, be dragged into a life she fears, she would have to hide, mislead, and lie. She fears this road she envisions. Not even the raging war makes her renounce it—"maktoub"—it is written, it is destiny, come what way!

Micheline a fait la vaisselle du petit déjeuner. Elle marche dans sa maison spacieuse, ramasse ici et là, d'un geste machinal, les jouets abandonnés sur le sol par les enfants au moment du départ pour l'école. La nuit a été calme, il faut en profiter, on ne sait pas ce qu'aujourd'hui et demain apporteront. Elle tient toujours à portée de main, un sac contenant avec la lampe de poche les objets et documents essentiels qu'il faut emporter à l'abri. Tout à l'heure, elle descendra pour un cours de littérature dans un bâtiment proche de sa maison. Il fait très chaud, déjà elle transpire. Elle entre dans sa chambre pour mettre une robe plus légère.

Soudain, on sonne à la porte. Son cœur fait un bond. Elle aperçoit une silhouette carrée derrière la porte vitrée. C'est lui, l'homme qui fait vibrer son cœur; il la regarde comme une vraie femme et dans ses yeux se lit un désir sans partage. Son mari n'a ni ce regard ni cette chaleur sensuelle, il la délaisse nuit après nuit, par manque d'intérêt pour les choses du sexe. L'homme derrière la porte, vient pour lui parler de ses problèmes conjugaux, il sait faire appel à son cœur généreux de femme qui aime porter secours aux autres. Il sait comment lui parler. En réalité, c'est de tout autre chose qu'il voudrait s'entretenir avec elle. Micheline hésite, doit-elle ouvrir ? Insatisfaite sexuellement, elle craint de tomber dans le piège de la tentation ; elle perdrait pied, serait entraînée dans une vie qu'elle appréhende, elle devrait se cacher, tromper, mentir. Elle craint cette fausse route entrevue. Même la guerre qui fait rage ne la jette pas dans le sentiment de renoncement - « maktoub », c'est écrit, c'est le destin, advienne que pourra !

Many men and women, who live under the constant danger of war, throw themselves into passionate love affairs. Micheline has the opposite reaction; instead, she seeks to bring stability into her life, by turning to mysticism. Around her, couples are made and break up, sexual encounters are common in broad daylight, often among the ruins caused by war, seen by a scandalized society which, in times of peace, would strongly reject this behavior legally, and harshly punish it. Many no longer heed the restrictions, just as war is unaware that it brings death. Micheline refuses this change. She reinforces her defenses, the moral values she has been taught. Especially those of the strict church, of which her husband has made her a member.

For several nights in a row, the same strange dream returns. She is on the peak of a mountain. To go down she must choose between two paths: one soft, attractive, covered with giant fruit-bearing trees and tasty fruits. She could enjoy some time in the shade of marbled, soft shapes. She would discover new sensations, little corners of her body and her being she has not explored. The other path is repulsive. Obscene and greedy monsters populate it. They sweep the ground with their heavy and fearful limbs, seeking quarrels and revenge. She would be tracked there, by a violence that she rejects with all the force of her being. Finally, she finds herself slipping on dunes of fine sand towards a deep blue ocean, under a persistent sun. After these nights full of dreams, she awakens tired, a bitter and acidic taste in her mouth.

This morning, she is afraid. She hesitates to open the door. But he has to have seen her silhouette through the glazed panes. She adjusts her smooth and flowery summer dress that highlights her brown skin, she puts on a calm face, composes herself and she goes to open the door. He is there, in front of her, his squared off body, a large smile lighting up his face, and his eyes that look at her with evident admiration.

Beaucoup d'hommes et de femmes vivent alors la guerre en se lançant éperdument dans des aventures amoureuses. Elle a la réaction inverse, cherche à donner à sa vie la stabilité, et se tourne vers le mysticisme. Autour d'elle, les couples se font et se défont, les rencontres sexuelles se vivent au grand jour, souvent au milieu des ruines de la guerre, au scandale d'une société qui, en temps de paix, réprouve sévèrement ces conduites, et, légalement, les punit sévèrement. Beaucoup ignorent désormais ces interdits tout comme la guerre ignore celui de donner la mort. Micheline refuse cette inversion. Elle renforce ses défenses, les lois morales qui lui ont été enseignées, celles aussi de l'église particulièrement rigoureuse à laquelle son mari l'a rattachée.

Depuis plusieurs nuits, revient le même rêve étrange. Elle est sur la cime d'une montagne. Pour descendre elle doit choisir entre deux pentes : l'une douce, attirante, couverte d'arbres fruitiers géants portant des fruits savoureux, elle pourrait se prélasser dans l'ombre de formes marbrées et douces, elle goûterait de sensations nouvelles, découvrirait les coins de son être et de sa chair qu'elle ignore. L'autre pente est repoussante, des monstres obscènes et avides la peuplent, ils balayent le sol de leurs membres lourds et effrayants, ils cherchent querelle et vengeance, elle y serait traquée par une violence qu'elle rejette de toute la force de son être. Finalement, elle se retrouve glissant sur des dunes de sable fin vers un océan bleu profond, sous un soleil implacable. Après ces nuits peuplées de rêves, elle se réveille fatiguée, avec un goût à la fois amer et acide à la bouche.

Ce matin, elle a peur. Elle hésite à ouvrir. Mais il a dû voir sa silhouette à travers la porte vitrée. Elle ajuste sa robe soyeuse et fleurie, robe d'été qui met son teint de brune en valeur, se compose un visage tranquille, se redresse et s'approche pour ouvrir. Il est déjà là devant elle, dans toute sa carrure d'homme musclé, un grand sourire éclaire son visage, ses yeux la regardent avec une admiration non dissimulée.

"Micheline, how are you? Did I catch you at a bad time?"

He fervently takes her hands; she feels enfolded by the heat of a man in love. It would only take a gesture for her to find herself against his solid shoulders which would protect her from her distressing dreams, from her dry nights, from this seemingly endless war that grows daily by leaps and bounds, sharpened by the geopolitical situation of a torn Middle East, in a particularly difficult moment in its History.

"Were you in the shelter three days ago? I have been thinking about you all this time. We stayed home, Elsa didn't want to go down; if bad things were meant to happen, she preferred to die in her bed rather than in a shelter. I stayed with her. She is impossible right now. She wants to leave me. She's decided that we were not made for each other. Why now? It's ridiculous, especially now that we're in the midst of this politically charged summer. You're the only one who can speak to her, reason with her, the only one she listens to. Can you do this for me?"

He speaks words which are just words. In his eyes she reads something else, she reads a passionate desire, she deciphers a powerful call to all her senses, an irresistible call from body to body that attracts one to the other. She can envision a horizon of happiness, passion, dreams, and much satisfaction. She imagines leaving with this man, leaving her current life for another life where she could freely be herself and finally be with a man who makes her shiver with the expression of her passion and her desires. But she also sees her children; they look at her with despair, beg her to stay. She imagines the consequences of all the lies and betrayals of others, of those she loves and must protect. She also sees the man who has given her another name and a certain social status. She sees him hunched over, in the loneliness of a sad, monotonous and empty day.

— Micheline, comment vas-tu ? Je ne te dérange pas ?

Il lui prend les mains avec empressement, elle sent la chaleur d'un homme amoureux l'envelopper. Il suffirait d'un geste pour se retrouver contre cette solide épaule qui la protègerait de ses rêves angoissants, de sa vie nocturne desséchante, de cette guerre dont on ne voit pas la fin et qui prend des proportions effrayantes, aiguisée par les enjeux géopolitiques d'un Proche Orient déchiré, à un moment particulièrement difficile de son Histoire.

— Etiez-vous dans l'abri il y a trois jours ? J'ai tellement pensé à toi. Nous, nous sommes restés à la maison, Elsa ne voulait pas descendre, elle préférait mourir dans son lit s'il le fallait, et je suis resté avec elle. Elle est insupportable en ce moment. Elle veut me quitter. Elle a décidé que nous n'étions pas faits l'un pour l'autre. Pourquoi maintenant ? C'est ridicule alors que nous traversons un été politiquement si tourmenté. Tu es la seule qui puisse lui parler, la raisonner, tu es la seule qu'elle écoute. Peux-tu le faire pour moi ?

Il dit des mots qui ne sont que des mots. Dans ses yeux, elle lit autre chose, elle lit un désir fulgurant, elle déchiffre un puissant appel des sens, un appel de corps irrésistiblement attirés l'un vers l'autre. Elle entrevoit le départ vers un horizon de bonheur, de passion, de rêves, de satisfactions multiples. Elle s'imagine partant avec cet homme, quittant sa vie actuelle pour une autre vie où elle pourrait enfin vibrer, exprimer sa passion et ses désirs. Elle voit aussi ses enfants, ils la regardant avec désespoir, la supplient de ne pas les quitter. Elle imagine les mensonges et trahisons qu'elle aurait à infliger à d'autres, à des êtres qu'elle aime et qu'elle se doit de protéger. Elle voit aussi l'homme qui lui a donné un autre nom et un certain prestige social, elle le voit se courber dans la solitude d'un jour triste, monotone et vide.

She sees her country, prey to the greatest agony in its history. She is incapable of thinking selfishly of a life of physical satisfaction and desires under such circumstances; she has to think of others. She must fulfill her duties as mother, wife, and aid to those whose life has been miserable, help all those suffering because they have lost hope. She has been educated to take up her cross daily, to carry her cross and has never questioned this command. This cross gives her a calm strength and confidence to move ahead, especially during these dark times.

Her gaze turns cold, her fingers freeze. She leaves this soft and impulsive embrace that holds her as if she were in a dream, those sensual fingers she could already feel moving upon her skin, calling for deeper caresses. She also speaks, saying words that contradict her senses that implore a fusion, a union of two bodies held in a mutual attraction. Her words are disconnected and distant. "Don't worry, I know your situation. I will talk to your wife this afternoon. I will tell her to return to better feelings, that relationships are made of ups and downs, that she mustn't give in to fits of anger! I also thought about you the other day in the shelter. It was stifling there; almost everyone was smoking. We risked our lives in there, the militias entered suspecting that we sheltered American spies; I prayed fervently in silence, and I placed myself across from them, invoking the name of Jesus. They left as they had entered, no one knows from where or how. You see, the strength of faith?..."

She looks him straight in the eye and tells him what she believes to be essential: her faith and her beliefs that allow her to exist without falling into despair, or into the temptations he was offering in not so many words. She adds:

"Excuse me, I have a class, I'm already late, I have to go."

Elle voit son pays en proie aux plus grands tourments de son histoire. Elle est incapable de penser égoïstement à une vie de satisfaction des sens et des désirs dans un tel contexte ; elle se doit de penser aux autres et de remplir ses devoirs de mère, d'épouse, d'aide aux mutilés de la vie, à tous ceux qui souffrent parce qu'ils ont perdu l'espoir. Son éducation lui a appris à porter tous les jours sa croix et elle ne s'est pas révoltée contre cette injonction. Cette croix lui donne une force et une assurance tranquille qui lui permettent d'affronter les plus rudes épreuves, nombreuses en ces temps troublés

Son regard se fait dur, ses doigts se figent. Elle se dégage de l'étreinte douce et fougueuse qui l'enveloppait comme dans un rêve, de ces doigts sensuels qu'elle sentait déjà parcourir sa peau frémissante, appelant des caresses plus profondes. Elle aussi parle, dit des mots qui nient ses sens ; ils disaient tout autre chose, appelaient à la fusion, à l'union de deux corps qui s'attirent mutuellement. Ses paroles sont détachées et lointaines.

— Ne t'inquiètes pas, je connais ta situation. J'irai parler à ta femme cet après-midi, je lui dirai de revenir à de meilleurs sentiments, que les relations sont faites de hauts et de bas, qu'elle ne doit pas donner suite à des colères injustes ! Moi aussi j'ai pensé à vous l'autre jour dans l'abri. C'était étouffant, presque tout le monde fumait. On a risqué la mort, des miliciens sont entrés prétendant que nous cachions des espions américains ; j'ai prié très fort en silence et me suis placée face à eux, en évoquant le nom de Jésus. Ils sont partis comme ils étaient venus, on ne sait ni d'où ni comment. Tu vois, la force de la foi ? ....

Elle le regarde droit dans les yeux pour lui communiquer ce qu'elle ressent comme essentiel : sa foi, ses croyances qui lui permettent d'exister sans sombrer dans le désespoir, ou dans les tentations qu'il lui offrait à mots couverts. Elle ajoute :

— Excuse-moi, j'ai un cours, je suis déjà en retard, je dois partir.

He understands and he leaves, he runs down the stairs to hide his confusion. Not as a sign of pride, but as if he had been riding the crest of a strong wave, rather than allowing it to carry him off; he is astonished to see how rapidly the prey he had coveted for several months or even years had been abandoned, how quickly she rejected the attractive, ardent call of the fusion of their bodies. However, he imagines that there will be other favorable moments, when he will try to conquer her once more, and make her experience the atemporal and extraordinary mystery of their bodies. As long as he lives, he will hope to find her beautifully transfigured by love and desire!

For her, this day is of central importance, it marks a decisive stage in her life. She has made a definitive choice! She will not go back on her decision. She will not let herself be tempted. What is one moment of passion faced with all eternity? What is a moment of madness and appeasement of the senses faced with a wasted life bringing suffering and destruction to the lives of others around her, the lives of people she loves? She will not grow weak, will not let herself slip down the slope of her dreams. Her decision brings her an internal peace, a quiet strength she needs, faced with the daily violence they experience day after day. Now, she fears neither her dreams, nor the torments of her being or her body, she no longer imagines she could let herself go, leave, flee with this man who has made her heart beat, who could touch the sensual fibers of her carnal being.

Il a compris, se retire, dévale les escaliers pour cacher son désarroi. Non en un geste d'orgueil blessé ; mais comme il aurait pris une forte vague, se laissant porter vers la crête pour ne pas être emporté ; il s'étonne d'avoir si vite abandonné la proie qu'il convoitait pourtant depuis plusieurs mois, voire des années, d'avoir vu si rapidement rejeter l'appel si beau, si fort de la fusion de leurs deux corps. Il imagine pourtant que se trouveront d'autres moments propices, qu'il pourra à nouveau tenter de la conquérir, de lui faire comprendre ce que le mystère des corps peut engendrer d'extraordinaire et d'intemporel. Aussi longtemps qu'il vivra, il aura l'espoir de la retrouver belle et transfigurée par son amour et son désir !

Pour elle, ce jour prend une valeur centrale, marque une étape décisive. Elle a fait un choix, elle a tranché ! Elle ne reviendra pas sur sa décision. Elle ne se laissera pas aller à la tentation. Qu'est-ce qu'un moment de passion amoureuse face à l'éternité ? Qu'est-ce qu'un moment de folie et d'apaisement des sens face à une vie gâchée entraînant la souffrance et la destruction de la vie d'autrui, d'êtres qui l'entourent et qu'elle aime ? Elle ne faiblira pas, ne se laissera pas entraîner sur la pente des rêves. Sa décision lui apporte une paix intérieure, une force tranquille dont elle ressent le besoin face à la violence qu'ils subissent jour après jour. Maintenant, elle ne craint plus ni ses rêves, ni les tourments de son être, de sa chair, elle n'imagine plus qu'elle pourrait se laisser aller, partir, fuir avec cet homme qui la faisait vibrer, qui savait toucher les fibres sensibles et sensuelles de son être charnel.

However, she's not fooling herself. She knows there will be more temptations to avoid, other desires to stifle, other moments when she will perceive a horizon of terrestrial light toward which she must not go. Her personal problems will always remain; she will not be able to rid herself of her body's impulses. She sacrifices for her children, her husband, for the example that she must give to her community. She has the faith and the stuff of martyrs. She thinks of the first witnesses who did not fear dying for their beliefs. She admires them and would like to resemble them. Some, in the lions' den, went as far as to sing songs of praise just before they were devoured by the starving animals. Martyrs' lives set an example; she seeks their self-denial in her life. Eternal joy is worth any sacrifice!

She takes her books and notebooks and goes down the stairs, with dignity, to her literature class.

*Potiphar's wife talked to Joseph day after day; it happened that he stopped listening to her when she asked him to sleep with her. So she grabbed him by his clothes, saying: "Sleep with me!" But he left his clothing within her hands, fled and went outside. This is what happened: as soon as she saw that he had left his clothing in her hands to run outside, she started crying out to the men of her house, saying to them: "This one came towards me, he wanted to sleep with me, but I cried out with all the strength of my voice" and Potiphar put Joseph in prison despite the great esteem he held for him. And Joseph suffered for his faith and his righteousness, but he did not grow weak, he was an example to others, especially to all those who seek to live their lives by following the strait and narrow path!*

Elle ne se leurre pourtant pas. Elle sait qu'il y aura d'autres tentations à éviter, d'autres désirs à étouffer, d'autres instants où elle apercevra un horizon de lumière terrestre vers lequel elle ne pourra pas s'élancer. Ses problèmes personnels sont toujours là, elle ne pourra pas effacer les appels de son corps. Elle se sacrifie pour ses enfants, son mari, pour l'exemple qu'elle doit donner à la communauté. Elle a la foi et l'étoffe des martyrs. Elle pense aux premiers témoins qui n'ont pas craint de mourir pour leur croyance. Elle les admire et voudrait leur ressembler. Certains, dans la fosse aux lions, sont allés, dit-on, jusqu'à chanter des cantiques de louange au moment où ils allaient être dévorés par des bêtes affamées. La vie des martyrs est un exemple, elle cherche à reproduire dans sa vie leur abnégation. La joie éternelle vaut tous les sacrifices !

Elle prend ses livres et cahiers et descend dignement les escaliers pour aller au cours de littérature.

*La femme de Potiphar parlait à Joseph jour après jour, il arriva qu'il ne l'écoutait pas lorsqu'elle lui demandait de coucher avec elle. Alors elle le saisit par le vêtement, en disant : « Couche avec moi ! » Mais il abandonna son vêtement dans sa main, prit la fuite et sortit dehors. Et voici ce qui se produisit : dès qu'elle vit qu'il avait abandonné son vêtement dans sa main pour s'enfuir dehors, elle se mit à crier vers les hommes de sa maison et leur dit : « Il est venu vers moi pour coucher avec moi, mais je me suis mise à crier de toute la force de ma voix ». Et Potiphar mit Joseph en prison malgré la grande estime qu'il lui portait. Et Joseph souffrit pour sa foi et sa droiture, mais il ne faiblit pas et il servit d'exemple aux autres, à tous ceux qui cherchent à vivre dans le droit chemin !*

# Une femme vivante
# A vibrant woman

Paris, autumn 1969. The days following May '68. All memories are still inhabited by that unexpected, incomprehensible and extraordinary event. Remember! Everywhere discussion and debate, the collective happiness, dreams will be realized, those of the social or libertarian revolution! We feel good, we're happy in a free, open, welcoming society. The student movement pulls in the whole society, is linked to all the other student movements in the world. A dream of universality. The pill frees sexuality, the body can express itself. Wasn't one of the first demands that boys be allowed to visit girls' dorms? The movement was led in France by a "Jewish German," Daniel Cohn-Bendit, who has become since then the symbol of questioning authoritarianism. Walls and fences must come down. Obedience falls into contempt: "bend down and graze!"

*She sparkles like a precious gem, like a green stone, transparent like glass. The sun and moon shine day and night. Trees everywhere, in all the gardens, village squares, quays, courtyards, along sidewalks, in parks; birds are flying, approaching strollers without fear. The multitude walks in the light.*

Paris, automne 1969. Lendemains de Mai 68. Toute la mémoire est encore occupée par l'événement inattendu, incompréhensible, inouï. Souvenez-vous ! C'est partout la discussion, le débat, le bonheur collectif, les rêves vont se réaliser, ceux de la révolution sociale ou ceux de la révolution libertaire ! On se sent bien, on est heureux dans une société libre, ouverte, accueillante. Le mouvement étudiant entraîne toute la société, se lie aux autres mouvements étudiants dans le monde. Rêve d'universalité. La pilule libère la sexualité, les corps peuvent s'exprimer. L'une des premières revendications n'a-t-elle pas été le droit des garçons d'accéder aux résidences universitaires des filles ? Le mouvement a été mené en France par un « juif allemand », Daniel Cohn-Bendit devenu depuis le symbole de la remise en cause de l'autoritarisme. Murs et cloisonnements doivent tomber. L'obéissance tombe dans le mépris : « baisse-toi et broute ! ».

*Elle scintille comme une pierre précieuse, comme une pierre verte, transparente comme le verre. Le soleil et la lune brillent le jour et la nuit. Des arbres partout, dans tous les jardins, places, quais, cours, trottoirs, parcs ; les oiseaux volent, approchent sans craindre le promeneur. La multitude marche dans la lumière.*

The debates are animated, between all, housewives, students, people on the right and the left, college suburban high school students, artists, teachers, executives, blue collar workers, employees, set against the backdrop of lovemaking, free and fulfilling. Hierarchical relationships, familial relationships, all relationships and morals are being called into question. Abortion is legalized and offered to women, with the pill, an alternative to the knitting needles of which so many women were victims, dying in atrocious suffering. Paris, France, are effervescent: large demonstrations, general strikes, barricades, the destruction of cars, a demonstrator stabbed to death. Police repression.

*The city has made itself beautiful like a young bride. The river shines and sings under the bridges. The sky is open, a white horse travels the world, sowing Justice and Truth. The walls continue to tumble, the fences come down. Happy are the guests invited to the marriage feast! They rush in from all directions to attend the city feast.*

The workers join in and make demands. For the first time, between students and workers, a united front. Strikes and factory sit-ins, demanding not only salary increases but also more autonomy and responsibility. Violent demonstrations against the forces of order, cobblestones and barricades. Arresting students who until now had been protected by the grace of their status. Students go to work in factories. Speech flows freely in the street, dialogue begins to take shape, between classes, between generations, between strangers. A moment of upheaval; no longer a struggle to gain power, but against power.

Les débats sont animés, entre tous, ménagères, étudiants, gens de droite et de gauche, lycéens des banlieues, artistes, enseignants, cadres d'entreprise, ouvriers, employés, sur fond d'ébats amoureux libres et assumés. Les relations hiérarchiques, les relations dans la famille, toutes les relations, et les mœurs sont remises en cause. L'avortement est légalisé et offre aux femmes, avec la pilule, une alternative aux aiguilles à tricoter dont tant de femmes étaient victimes, mourant dans d'atroces souffrances. Paris, la France sont en effervescence : grandes manifestations, grèves générales, barricades, destructions de voitures, un manifestant tué d'un coup de couteau. Répression policière.

*La ville s'est faite belle comme une jeune mariée. Le fleuve brille et chante sous les ponts. Le ciel est ouvert, un cheval blanc parcourt le monde, sème la Justice et la Vérité. Les murs n'en finissent pas de s'écrouler, les cloisonnements de s'effondrer. Heureux sont les invités au repas de mariage ! Ils accourent de partout pour participer à la fête de la ville.*

Les ouvriers sont de la partie, et revendiquent. Entre étudiants et ouvriers, pour la première fois, un front commun. Grèves et occupations d'usines, revendication non seulement d'augmentations de salaire mais aussi de davantage d'autonomie et de responsabilité. Manifestations violentes contre les forces de l'ordre, pavés et barricades. Arrestations d'étudiants qui jusqu'ici étaient à l'abri grâce à leur statut. Des étudiants « s'établissent ». La parole se libère dans la rue, le dialogue se noue, entre classes, entre générations, entre inconnus. Moment de basculement, on ne lutte plus pour le pouvoir mais contre le pouvoir.

The women as well. A revelation: "One out of two men is a woman." First change: rejection of the mixed nature of public debates, women cannot express themselves there. Vincennes is "emptied" of men. They take it very badly. Marriage, maternity, un-chosen sexuality, the refusal of women's work, all called into question. A new wave of feminism. The Women's Liberation Movement is launched. Nothing will ever be the same again.

*The feast is prepared, joy reigns, the streets are alight with thousands of torches. Come with me to Lebanon, come down from the Lebanese mountains to accompany me to the feast. We will get drunk and forget our sad past in the festive Paris streets. Your eyes make my heart beat, my sister, for you are beautiful; you put on perfume, benzoin and musk; you smell of the essential oils with which you are anointed; you smell of milk and honey. Lebanon is present! I drink in your tenderness, still much sweeter than wine; your infinite love quenches my thirst!*

In the studio on Bonaparte Street, the half-opened window let the noises and scents of Paris into the room. The morning air caresses Denise's face as she sleeps. The room is tiny but cozy. It is filled with art objects, mostly African statues encrusted with ivory. The walls are covered with photos, with paintings in bright and lively colors, with amebic shapes like island coral. A dress made of a richly-colored Congolese fabric lay upon the chair. Next to the bed, on the floor, an open book: Simone de Beauvoir, *The Second Sex*.

The phone rings, Denise extends an arm:

"Hello?"

"It's Roland; did I wake you?"

'Yes! But I'm not sleepy anymore, why are you calling?"

Les femmes aussi. Découverte : « Un homme sur deux est une femme ». Première intervention : refuser la mixité des débats publics, les femmes ne peuvent s'y exprimer. Vincennes est « vidée » des hommes. Ils le prennent très mal. Mise en cause du mariage, de la maternité, de la sexualité non choisie, du refus du travail des femmes. Nouvelle vague du féminisme. Le Mouvement de Libération des Femmes est lancé. Rien ne sera plus pareil.

*La fête se prépare, la joie règne, les rues s'allument de mille flambeaux. Viens avec moi du Liban, descend de la montagne libanaise pour m'accompagner au festin. Nous nous enivrerons et nous oublierons un passé triste dans le bonheur des rues de Paris. Tes yeux font battre mon cœur, ma sœur car tu es belle ; tu t'es parfumée au benjoin et au musc ; tu sens les huiles essentielles dont tu fus ointe ; tu sens le miel et le lait. Le Liban est au rendez-vous ! Je bois ta tendresse, plus douce encore que le vin ; je me désaltère à ton amour infini !*

La fenêtre entr'ouverte du studio de la rue Bonaparte, laisse entrer les bruits et les odeurs de Paris, l'air du matin caresse le visage de Denise endormie. La pièce est minuscule mais confortable, emplie d'objets d'art, statuettes africaines incrustées d'ivoire surtout. Les murs sont couverts de photos, de peintures aux couleurs vives et gaies, aux formes amibiennes comme du corail sur une île. Sur la chaise traîne une robe d'étoffe congolaise, riche de tons chauds. A coté du lit, par terre, un livre ouvert : Simone de Beauvoir, *Le Deuxième Sexe*.

Le téléphone sonne, Denise s'étire :

— Allo ?

— C'est Roland, je t'ai réveillée ?

— Oui ! Mais je n'ai plus sommeil, qu'est-ce qui t'amène ?

'What are your plans for today? Do you have a flight?"

"No, I just returned from Abidjan, I have the day off."

"Great! I'm going to pick you up to go dancing this evening, alright?

"Splendid! I'm always up for that, as you know!"

She hangs up and opens the window wide. The courtyard tree, opposite her window, extends its shade over the building's façade. Birds chirp in its branches. Some clean themselves and then fly away, others clean their nest. A young couple has just moved into the opposite building, you can almost hear the soft murmur of their words: "my doe, my lamb, my dove, my tree, my hen"! They embrace and kiss, and laughingly follow each other around the apartment.

Denise quickly washes up and takes to the street, the street she loves, "her street"; when she does not have a flight, she spends most of her time here; she never tires of window-shopping with these boutiques. How many times, as a teenager, she had dreamed of entering one of these stores where fine outfits are displayed! Now she could do it, she could try them on, choose, buy what pleased her. She goes for a chic, Parisian style, always hoping to penetrate its secrets.

She settles down at one of the café tables, on a street corner, and according to her whim at any given moment, asks for tea with lemon or hot coffee. She takes small sips while writing letters and in her diary. She loves to watch people pass; the beautifully sophisticated women tottering on their high heels to attract attention as they cross the street, thoughtful students remaking the world from the sidewalk or the next table over, intellectuals reading the paper, exchanging ideas, or writing like her. There is also the bum on the corner telling jokes. Sometimes the waiter lingers, and repeats the latest neighborhood gossip.

— Quels sont tes projets pour la journée ? As-tu un vol ?

— Non, je rentre juste d'Abidjan, c'est ma journée de repos.

— Je passe te prendre pour aller danser ce soir, c'est bon ?

— Magnifique ! Ca me va toujours, comme tu sais !

Elle raccroche et ouvre la fenêtre toute grande. L'arbre de la cour, en face, allonge son ombre sur la façade de l'immeuble. Des oiseaux piaillent dans les branches. Certains font leur toilette puis s'envolent, d'autres nettoient leurs nid. Un jeune couple vient de s'installer dans l'immeuble d'en face, on entend presque le murmure de leurs mots doux : « ma biche », « mon agneau », « ma colombe », « mon arbre », « ma poule » ! Ils s'enlacent, s'embrassent, se poursuivent dans l'appartement en riant.

Denise fait rapidement sa toilette et descend dans la rue, la rue qu'elle aime, « sa rue » ; lorsqu'elle n'a pas de vol, elle y passe la plus grande part du temps, avec ces boutiques dont elle ne se lasse pas de lécher les vitrines. Combien de fois, adolescente, elle a rêvé d'entrer dans l'un de ces magasins où s'affichent des toilettes raffinées ! Maintenant elle peut le faire, elle peut même essayer, choisir, acheter ce qui lui plaît. Elle raffole du chic parisien ; elle a toujours souhaité en pénétrer les secrets.

Elle s'installe à l'une des tables du café, au coin de la rue et, selon l'humeur du moment, commande un thé au citron ou un café brûlant. Elle boit à petites gorgées tout en écrivant des lettres et son journal. Elle adore observer les passants : les belles sophistiquées qui se dandinent sur leurs talons pour se faire remarquer en traversant la rue, les étudiants sérieux qui refont le monde sur le trottoir ou à la table voisine, les intellectuels qui lisent le journal, échangent des idées, ou écrivent comme elle. Il y a aussi le clochard du coin qui raconte des blagues. Quelques fois le garçon du café s'attarde et lui raconte les derniers potins du quartier.

When it is nice out, she loves to stroll along the Seine, leaf through the old books, the post cards from another time, revealing the mysteries of days past, the large images bearing messages, paintings and portraits for every kind of taste. Onlookers and lovers, roaming the length of the quays; a crowd of happy people, walking along like her, with nothing else to do. Denise can't help thinking of the America she has just left. She doesn't miss it. Over there, no strolling, people out tasting life, appreciating the little pleasures of the day. These are what make big problems and serious worries bearable, they are escapes from constant, untenable stress!

On other days, she goes to a park; seniors are sunning themselves on benches, talking among themselves, talking about the past, good old days or the terrible experience of the war; children play, laughing under the chestnut trees, chasing birds that barely scatter, women in flowered dresses pushing chubby babies who sleep or watch the sky and the clouds drift above their heads. Everything lives and breathes joy, freedom, renewal! Paris is her city, she feels good here. She wonders how she had been able to live for so long far from it, in a country so disciplined and cold she thought she would die there or lose her soul!

During the evening, Roland comes to pick her up. They'll go dancing in one of the haunts of St. Germain des Prés. As they enter the room, they can barely make out its appearance; it is very dark, eyes have trouble adjusting to the darkness cut with the soft rays of blue, red, orange, mauve and green lamps; phosphorescent masks cover some of the walls, in the corners, there are markings too, names incrusted in the plaster, vestiges, memories of shelters, of the war still so near; the décor gave the place a solemn feel.

Quand il fait beau, elle aime se promener le long de la Seine, feuilleter les vieux livres, les cartes postales d'un autre siècle, qui révèlent les mystères du quotidien passé, les grandes images porteuses de messages, des peintures et des portraits pour tous les goûts. Badeaux et amoureux flânent le long des quais ; une foule de gens l'air heureux, marche comme elle, ils n'ont rien d'autre à faire. Denise ne peut s'empêcher de penser à l'Amérique qu'elle vient de quitter. Elle ne lui manque pas. Là-bas, pas de flâneurs, de gens qui goûtent la vie, qui apprécient les petites joies du quotidien ; elles permettent de supporter les grands problèmes, les graves soucis, évitent un stress constant, insoutenable !

D'autres jours elle va se promener dans un parc ; des gens âgés prennent le soleil sur les bancs, bavardent entre eux, parlant du temps d'autrefois, des bons jours ou de la terrible expérience de la guerre ; des enfants jouent en riant sous les marronniers, poursuivent des oiseaux à peine effarouchés, des femmes en robe fleurie poussent des bébés joufflus qui dorment ou regardent le ciel et les nuages filer au dessus de leur tête. Tout respire la joie, la liberté, le renouveau ! Paris est sa ville, elle s'y sent bien. Elle se demande comment elle a pu vivre si longtemps loin d'elle, dans un pays si organisé et froid qu'elle a bien cru y mourir ou y laisser son âme !

Dans la soirée Roland passe la prendre ; ils vont aller danser dans l'une des caves de Saint Germain des Prés. Pénétrant dans la salle, ils ont peine à distinguer des contours ; il fait très sombre, les yeux ont du mal à s'accoutumer à l'obscurité hachée de traits de lumières feutrées bleues, rouges, oranges, mauves et vertes ; des masques phosphorescents tapissent certains murs ; dans les coins des marques aussi, des noms incrustés dans le plâtre, vestiges, souvenirs des abris, de la guerre encore si proche ; du décors un air solennel se dégage.

Denise and Roland sit down and order a bottle of wine. A rhythmic beat with melancholy sounds envelops them. Denise cannot sit for too long; she is there to dance and plans on doing so. She knows a lot of steps, new and old, and she executes them with passionate agility. "You have rhythm in your blood," said her African American friends, the ones who had called her "Soul Sister!" She leads her partner into the frenzy.

All eyes are upon her, on the spectacle of her dance. The spectators are mesmerized. Feet, heels, knees, hips, pelvis, torso, neck, right up to her hair, swing to the rhythm of the dance and follow the melody. Her eyes shining, her hair flies in every direction. Her face lights up with a contagious happiness. She is fully alive. Living fully, furiously. Only this instant matters, this minute full of sounds, intensity, vibrations that penetrate her entire being. A mystic fervor, a delirious abandonment is expressed through her surreal and sublime dancing.

Soon the room gives in and enters the contagious ambiance, the euphoria of music making them forget the worries and problems of the day. The bodies around her sway to the spell, the frenzy, in exaltation. Everyone is taken in by the wild spiral of sound, melodies, and rhythms that constantly push them further, more strongly into the trance. Everyone melds together in a wild expressiveness of bodies: falling past barriers, prejudices, inhibitions, walls, conventions, norms, partitions; the bodies speak words unspoken, and sometimes what they dare not say.

Denise et Roland s'assoient et commandent un verre de
vin. Une musique très rythmée aux sons mélancoliques les
enveloppe. Denise ne peut rester longtemps assise, elle est là
pour danser et compte bien en profiter. Elle connaît beaucoup
de pas de danse, nouveaux et anciens, elle les exécute avec une
ardente agiletée. « Tu as le rythme dans le sang » lui disaient
ses amis Afro-Américains qui lui donnaient le nom de « soul
sister » ! Elle entraîne son compagnon dans la frénésie.

Tous les regards sont rivés sur elle, sur le spectacle de sa
danse. Les spectateurs sont médusés. Pieds, talons, genoux,
hanches, bassin, torse, cou, jusqu'à la chevelure battent au
rythme de la danse et suivent la mélodie. Les yeux brillent, les
cheveux volent en tous sens. Le visage s'éclaire dans un
bonheur contagieux. Elle est en train de vivre. De vivre pleinement, rageusement. Seul compte cet instant, cette minute
pleine de sons, d'intensité, de vibrations qui pénètre tout son
être. Une ferveur mystique, un abandon délirant s'expriment
dans sa danse irréelle et sublime.

Bientôt la salle se laisse gagner et entre dans l'ambiance
contagieuse, dans l'euphorie de la musique, qui fait oublier les
problèmes et soucis quotidiens. Les corps autour d'elle se
balancent dans l'envoûtement, la frénésie, l'exaltation. Tous
sont pris dans l'engrenage endiablé d'une suite de sons, de
mélodies, de rythmes qui les poussent toujours plus loin, plus
fort vers la transe. Tous fraternisent dans l'expression effrénée
des corps : tombent les barrières, les préjugés, les inhibitions,
les murs, les conventions, les cloisonnements ; les corps
expriment ce que les paroles ne disent pas et parfois n'osent
pas dire.

Entering by chance, a visitor would be surprised by the violent movements, suggestive poses, verging on primordial, bestial exhibition, that he thinks could lead to trances and exorcisms; he would quickly be swept away by the flood of the dance pulling him towards unknown regions; he would learn that animality can also signify spontaneity, freshness, sincerity when the masks fall, that modesty can undress without embarrassment.

Leitmotifs repeat at regular intervals, they speak of peace, hope, love. A being disillusioned, wounded by life, once again begins to believe in life. In these moments, reality meets the dream, utopia takes on human form. Denise is one of these beings, traumatized and tormented by what they have lived through. She feels that she exists thanks to the dance, creates herself in the dance, again she comes to believe in abstractions; love, hope, peace; she experiences them in their greatness and their transcendence. She takes them in through the pores in her skin, through all the fibers of her being; she abandons her body to her wild desire for life. At these moments, she has the profound feeling of truly finding herself.

*I am lovesick and my bed is woven with rose petals. Your eyes are doves, your mouth a pinecone. All the cedars of Lebanon, all the fruit trees are reunited in her enclosure, and birds nest in her breasts soft as honey! Above the earth soars a murmur of rebirth; all hopes have finally been revived.*

Entrant par hasard, un visiteur serait étonné par la violence des gestes, par les poses suggestives, proche de l'exhibition primitive voire bestiale pouvant mener, penserait-il, à la transe et à l'exorcisme ; il serait vite emporté lui-même par le flot de la danse l'entraînant vers des régions inconnues ; il apprendrait qu'animalité peut aussi signifier spontanéité, fraîcheur, sincérité lorsque les masques tombent, que la pudeur se met à nu sans embarras.

Des leitmotive reviennent régulièrement, ils parlent de paix, d'espérance, d'amour. Un être désabusé, blessé par la vie, parvient alors à nouveau à croire dans la vie. Dans ces moments la réalité rejoint le rêve, l'utopie prend forme humaine. Denise appartient à ces êtres profondément traumatisés et tourmentés par ce qu'ils ont vécu. Elle se sent exister grâce à la danse, se fait exister dans la danse, elle parvient à nouveau à croire en des mots abstraits : amour, espérance, paix ; elle les vit dans leur grandeur et dépassement. Elle les absorbe par tous les pores de sa peau, par toutes les fibres de son être ; elle abandonne tout son corps à sa rage de vivre, à son désir d'authenticité. En ces moments, elle a le profond sentiment de se retrouver vraiment.

*Je suis malade d'amour et ma couche est tissée de pétales de roses. Tes yeux sont des colombes, ta bouche une pomme de pin. Tous les cèdres du Liban, tous ses arbres fruitiers sont réunis dans son enceinte, et les oiseaux nichent dans ses seins doux comme le miel ! Au-dessus de la terre plane un murmure de renaissance, tous les espoirs se sont enfin donnés rendez-vous.*

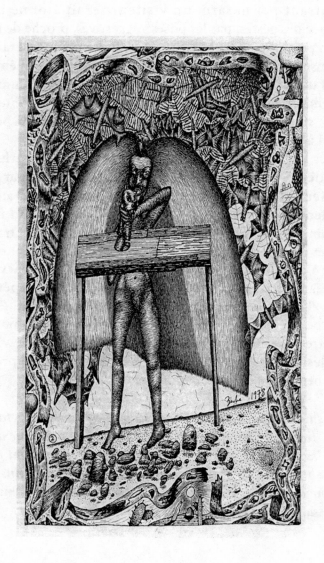

# Education sexuelle
# et sentimentale
# Sexual education
# and moral instruction

Beirut, January 1970. We are on the eve of a civil war that will rip this country apart for seventeen years. Signs announcing the fall of Lebanese society are present: social inequalities are growing, Palestinians are squatting, miserable in camps just outside Beirut—and in other cities of Lebanon and elsewhere—anxious to return to their lands, from which they were chased by Israel; they lead military operations against Israel from Lebanese soil; Israeli operations return fire against civil and military targets while Lebanon is not directly implicated in the conflict—and so, Beirut's airport and all the planes of Middle East Airlines are burned to the ground by Israeli bombs; Christian militias arm themselves, worried about Palestinian demands in Lebanese territory; discontentment is everywhere, irresponsible intellectuals call for the destruction of the city; politicians even more irresponsible still hope to climb to power by parceling up Lebanon; religious communities think they will be protected by arming themselves to the teeth. From North to South, from the coast to the Bekaa plain, the stakes are getting higher for the victory of each side, a cacophony which should have found a solution within public debate, if each one had had faith in his country.

*Now therefore, kill all male children, and kill all women who have had sexual relations with a male. But keep for yourselves, all the young girls who have not known relations with a man. (Numbers 31:17-18).*

*It's the law: an eye for an eye, a tooth for a tooth, Brother against brother, flesh pierced by swords for flesh riddled with bullets. Women are nothing more than bodies to possess, to penetrate, to use for one's appropriation, the growth of the clan and territorial gain.*

Beyrouth, janvier 1970. Nous sommes à la veille d'une guerre civile qui déchirera le pays durant dix-sept ans. Les signes précurseurs de l'effondrement de la société libanaise sont là : les inégalités sociales vont croissant, les Palestiniens croupissent, misérables dans des camps aux périphéries de Beyrouth - et d'autres villes du Liban et d'ailleurs, ils sont pressés de retrouver les terres dont ils ont été chassés par Israël, ils mènent des opérations militaires contre Israël depuis le sol libanais, les Israéliennes frappent en retour des cibles civiles et militaires tant palestiniennes que libanaises alors que le Liban n'est pas directement impliqué dans le conflit – ainsi, l'aéroport de Beyrouth et tous les avions de la Middle East Airlines sont détruits au sol par des bombes israéliennes, des milices chrétiennes s'arment qui s'inquiètent des revendications palestiniennes à partir du sol libanais, les mécontentements sont partout, des intellectuels irresponsables appellent à la destruction de la ville, des politiciens plus irresponsables encore espèrent accéder au pouvoir en morcelant le Liban, les communautés religieuses pensent se protéger en s'armant jusqu'aux dents. Du Nord au Sud, de la côte à la plaine de la Bekaa, les surenchères montent pour faire triompher chacun, cacophonie qui aurait dû trouver une solution dans le débat public, si chacun avait eu foi dans son pays.

« *Maintenant donc, tuez tout mâle parmi les petits, et tuez toute femme qui a eu des relations avec l'homme en couchant avec un mâle. Mais parmi les femmes, gardez en vie pour vous, toutes les petites filles qui n'ont pas connu l'acte de coucher avec un mâle.* » *(Nombres 31 : 17-18)*
*C'est la loi du talion : œil pour œil, dent pour dent. Frère contre frère, chairs passées au fil de l'épée pour chairs criblées de balles. Les femmes ne sont que des corps à posséder, à pénétrer, à utiliser pour l'appropriation, l'accroissement du clan et du territoire.*

Lebanon is only twenty-seven years old! It has just emerged from a long colonial domination; it incites the jealousy and envy of neighboring countries, desires of conquest and possession. It has not yet constructed its identity, yet it is already being called the Switzerland of the Middle East; like Switzerland, it is different from countries of the region; a freedom reigns here of which other countries are deprived;  trade is free, press and publishers are very active, independent and known throughout the Arab world; each writer, each intellectual from this region of the world wants to publish here; tourism is in full development, the beaches and mountains are beautiful and attractive. All who live here, Lebanese and foreigners, are attached to it, wouldn't think of leaving it. Its dynamism and exuberance are extraordinary. A Lebanese proverb says: "Throw a Lebanese into the sea, and he comes out with a fish in his mouth!" As with every youth, Lebanon has neither patience nor wisdom with respect to itself: impatience and the lack of maturity prevent it from seeing the dangers it risks. It doesn't know how to construct itself in equality and harmony, give everyone their chance, duties and rights. Everyone is selfish and seeks his own pleasure and to satisfy his own immediate needs. Women are maintained in a state of dependency; for them, equality and justice don't exist. The poor are scorned. Children are raised badly: little boys are allowed to do anything while little girls are kept in a state of fear and submission. Palestinians are abandoned in their camps of misery, mud, hunger and suffering.

Le Liban n'a que vingt-sept ans ! Il sort d'une longue tutelle coloniale, il suscite les jalousies et l'envie des pays voisins, des désirs de conquête et de possession. Il n'a pas encore construit son identité, pourtant on l'appelle déjà la Suisse du Proche-Orient : comme la Suisse, il est différent des pays de la région, une liberté y règne dont les autres pays sont privés, le commerce y est libre, la presse et les maisons d'édition sont très actives, indépendantes et connues dans le monde arabe tout entier ; chaque écrivain, chaque intellectuel de cette région du monde cherche à s'y faire publier, le tourisme est en plein développement, les plages et les montagnes sont belles et attirantes. Tous ceux qui y vivent, libanais et étrangers, s'y attachent, ne songent pas à le quitter. Le dynamisme et l'exubérance sont extraordinaires. Un proverbe libanais dit : « Jetez un Libanais à la mer, il en ressortira un poisson à la bouche ! » Comme toute être jeune, le Liban n'a ni sagesse ni distance par rapport à lui-même : impatience et manque de maturité l'empêchent de voir les dangers qu'il court. Il ne sait pas se construire dans l'égalité et l'harmonie, donner à chacun des chances, des devoirs et des droits. Chacun est égoïste et recherche son plaisir et un assouvissement immédiat de ses besoins. Les femmes sont maintenues sous tutelle ; pour elles, égalité et justice n'existent pas. Les pauvres sont méprisés. Les enfants sont élevés stupidement : aux petits garçons on permet tout alors que les petites filles sont maintenues dans la crainte et la soumission. Les Palestiniens sont abandonnés dans des camps de misère, de boue, de faim et de douleur.

*"So the people cried out, when they began to blow the horn. And this is what happened: as soon as the people heard the sounding of the horn, they let forth a great cry of war, and the wall tumbled down. Then the people marched straight into the city and plundered it. Then they committed all of it to destruction by the sword, all that was in the city, from the men to the women, from young men to old men, even to the bulls, the sheep and the asses" (Joshua 6: 20-21).*

*They did all this in the Glory of His Name! And women were raped in his Name and for His Glory! And the women were brought into captivity and those who resisted had their throats cut! And these women slaves made children slaves too; from this was born the slavery and oppression of women. They did all these things for their God, adored as the Only God of the World!*

That year, in addition to teaching English, I was a counselor for young ladies in a school for boys in Beirut; the school admitted girls in their final year.

One afternoon, I was deep in work in my office, plunged in the correction of exam papers, when several young women: Vénus, Marie-Thérèse, Isabelle, Maha, Samira and Lamia burst in. They were very excited, spoke rapidly and pointedly. Vénus seemed particularly annoyed.

I turned toward them and asked what was the matter.

"Madame! You should have attended Dr. Harb's lecture. The things he told us are unbelievable and unacceptable!" Vénus raised her eyes and arms to the sky in a sign of exasperation.

*« Alors le peuple cria, quand ils se mirent à sonner du cor. Et voici ce qui se passa : dès que le peuple entendit le son du cor, il poussa un grand cri de guerre, alors la muraille s'écroula. Puis le peuple monta dans la ville chacun droit devant lui, et ils s'emparèrent de la ville. Puis ils vouèrent à la destruction, par le tranchant de l'épée, tout ce qui était dans la ville, depuis l'homme jusqu'à la femme, depuis le jeune homme jusqu'au vieillard, et jusqu'au taureau, au mouton et à l'âne. »* (Josué 6 : 20 et 21)

*Ils firent toutes ces choses à la Gloire de Son Nom ! Et les femmes furent violées en son Nom et pour Sa Gloire ! Et les femmes furent emmenées en captivité et celles qui résistaient furent égorgées ! Et ces femmes esclaves firent des enfants esclaves aussi ; de là est né l'esclavage et l'oppression des femmes. Ils firent toutes ces choses pour leur Dieu, adoré comme Seul Dieu du Monde !*

Cette année-là à côté de l'enseignement de l'anglais, j'avais une fonction de conseillère des jeunes filles dans un collège de garçons de la ville de Beyrouth, qui admettait des jeunes filles en classes terminales.

Un après-midi, j'étais accoudée à mon bureau, plongée dans la correction d'épreuves d'examen, lorsque plusieurs jeunes filles : Vénus, Marie-Thérèse, Isabelle, Maha, Samira et Lamia, firent irruption dans mon bureau. Elles étaient très excitées, parlaient avec volubilité et emphase. Vénus avait l'air particulièrement énervée.

Je me tournai vers elles et demandai ce qui n'allait pas.

— Madame ! Vous auriez dû assister à la conférence que vient de donner le Dr. Harb. Les choses qu'ils nous a dites sont incroyables et inacceptables ! Venus lève les yeux et les bras au ciel dans un signe d'exaspération !

"I wanted to go but I had some urgent work to finish. What did he say to put you in such a state? Are you better informed now regarding sexual and moral matters?"

"No, Madame. It's just the opposite, it's revolting. He told us that in this country a young girl cannot marry unless she is a virgin, while for the boys, it's the opposite; it's preferable that he have sexual experiences before marriage! I asked him if these recommendations were valid between two people who loved each other and wanted to unite with each other outside of marriage. He looked so surprised that I would ask such a question and looked at me as though I were a strange, depraved animal! Then he went into a long discourse about men who could really only respect women who had known how to protect themselves and keep their hymen intact until marriage; these are the women they would marry, not the others, considered to be frivolous and easy! Everything he said was stupid, these are archaic ideas! Why should we have to listen to such nonsense?"

"If that's really what he said, the only things he explained and taught you, then I don't understand either."

I knew that Vénus had a boyfriend and spent weekends with him in a chalet in the mountains; I wondered what I could do to restore her self-confidence, which had just been shaken; she became vulnerable in this tormented country, prey to ancestral customs that restricted women and shut them in, forced them to live limited lives!

All of them in fact seemed beaten down! I was angered by this Doctor who seemed not to have weighed the consequences of his words. Why close the doors on these young ladies who were already bullied, forced into submission and obedience?

— Je voulais y assister mais j'avais un travail urgent à terminer. Qu'a-t-il pu raconter pour vous mettre dans cet état ? Etes-vous mieux informées maintenant sur la vie sexuelle et sentimentale ?

— Non Madame. C'est plutôt le contraire, c'est révoltant. Il nous a dit que dans ce pays, une jeune fille ne peut se marier que si elle est vierge, alors que pour les garçons, c'est le contraire, il est préférable qu'il ait déjà eu des expériences sexuelles avant de se marier ! Je lui ai demandé si ces recommandations valaient entre deux êtres qui s'aiment et veulent s'unir en dehors du mariage. Il a eu l'air surpris que je pose pareille question et m'a regardée comme un animal étrange et dépravé ! Puis il est parti dans un long discours sur les hommes qui ne pouvaient vraiment respecter que des femmes qui avaient su se protéger et garder leur hymen intact jusqu'au mariage ; ce sont ces femmes-là qu'ils épouseraient, non les autres considérées comme frivoles et faciles ! Tout ce qu'il a dit est stupide, ce sont des conceptions archaïques ! Pourquoi devons-nous écouter pareil verbiage ?

— Si c'est vraiment tout ce qu'il a dit, les seules choses qu'il vous a expliquées et enseignées, je ne comprends pas non plus.

Je savais que Vénus avait un ami et passait avec lui des week-ends dans un chalet à la montagne ; je me demandais que faire pour restaurer sa confiance en elle-même, qui venait d'être ébranlée ; elle devenait vulnérable dans ce pays tourmenté, en proie à des coutumes ancestrales qui figent les femmes et les enferment, les forcent à vivre des vies rétrécies !

Toutes d'ailleurs avaient l'air d'avoir été battues ! Je fus prise de colère pour ce Docteur qui ne semblait pas avoir mesuré les conséquences de ses paroles. Pourquoi fermer les portes devant des jeunes filles déjà brimées, forcées à la soumission et à l'obéissance ?

"Listen to me, Vénus, and the rest of you too! Know that I understand your situation perfectly well. You are right not to accept ideas such as these, that seek to reduce women to the role of object and maintain them in a state of dependency. You are right not to accept these words made to destroy you. Don't let yourselves feel put down and above all, don't lose confidence in yourselves!"

I hadn't yet finished my sentence before the school principal entered and approaching the group, asked about the subject of the debate.

"Did you attend Dr. Harb's lecture?" I asked.

"Yes, it was very good, wasn't it?"

He turned toward the group that had suddenly grown silent. Struck by their silence, he reproached me:

"You must come the next time."

Vénus approached the principal and abruptly countered:

"I don't want to attend any more of these lectures. It's a waste of time, an insult to our intelligence and to our dignity."

I was secretly happy to see Vénus react in this way, but the principal didn't see it like that:

"If you have no better excuses than that, I remind you that your attendance is required. We have invited this Doctor here for your sexual education and moral instruction, for your benefit, and for your future. He is here to teach you what will allow for the fulfillment of your sexual and moral life! This Doctor spends a great deal of his time to come and speak to you."

"Vénus is rightly indignant because the doctor said that love does not count in marriage as much as principles, taboos, our society's injunctions and restrictions!"

"She must have misunderstood."

— Ecoutez-moi Vénus, et les autres aussi ! Sachez que je vous comprends parfaitement. Vous avez raison de ne pas accepter des conceptions comme celles que vous venez de me dire, qui cherchent à réduire la femme à un rôle d'objet et la tenir en tutelle. Vous avez raison de ne pas accepter ces paroles faites pour vous détruire. Ne vous laisser pas abattre et, surtout, ne perdez pas confiance en vous !

Je n'avais pas terminé ma phrase que le Proviseur du collège entrait, et, s'approchant du groupe, s'enquit de l'objet du débat.

— Avez-vous assisté à la conférence du Dr Harb, demandai-je ?

— Oui, c'était très bien, n'est-ce pas ? Il s'était tourné vers le groupe soudain figé dans le silence. Frappé par ce mutisme, il me fit un reproche :

— Il faut que vous veniez la prochaine fois.

Vénus s'approcha du proviseur et, brusquement, asséna :

— Je ne veux plus assister à ces conférences. C'est une perte de temps, une insulte à notre intelligence et à notre dignité.

Je fus secrètement heureuse de voir Vénus réagir ainsi, mais le Proviseur ne l'entendait pas de cette manière:

— Si vous n'avez pas de meilleure excuse que celle-là, je vous rappelle que votre présence est obligatoire. Nous avons invité ce docteur pour votre éducation sexuelle et sentimentale, dans votre intérêt, et pour votre avenir. Il est là pour vous enseigner ce qui permettra l'épanouissement de votre vie sexuelle et sentimentale ! Ce docteur perd aussi beaucoup de son temps pour venir vous parler.

Je me devais d'intervenir :

— Vénus est indignée à juste titre parce que ce docteur a dit que l'amour ne comptait pas dans le mariage autant que les principes, les tabous, les injonctions, les restrictions de notre société !

— Elle doit avoir mal compris.

He turned to Vénus:

"Didn't you understand that the Doctor was speaking for your benefit and your future happiness? He has much experience and is trying to help you to become a good wife and mother. He is not only a medical doctor but also a psychologist and marriage counselor. Every day, he faces a great number of problems in this area, while he tries to give all of you the necessary information you need to avoid the type of errors and mistakes he must be continually resolving! Haven't you found it remarkable that he doesn't stop at addressing purely the physiological side but that he takes the time to associate this with the moral and social aspects of our society?"

Vénus, in one of her stubborn moments, stared at me, seemed to be on the point of expressing herself; she hesitated, stopped herself and walked off, grumbling that she didn't want anything to do with these hypocritical moral laws!

I turned toward the principal:

"Next time, I'll attend the lecture and will surely give you my opinion on it."

Il se tourne vers Vénus :

— Vous n'avez pas compris que le docteur parlait pour votre bien et pour votre bonheur futur ? Il a une longue expérience et essaie de vous aider à être une bonne épouse et mère. Il est non seulement médecin mais psychologue et conseiller en affaires matrimoniales. Tous les jours il fait face à une quantité de problèmes dans ce domaine, alors il tente de vous apporter le bagage nécessaire pour que vous ne tombiez pas dans le genre d'erreurs et de fautes qu'il doit résoudre à chaque instant ! Vous n'avez pas trouvé remarquable qu'il ne s'attelle pas uniquement au côté purement physiologique mais qu'il se donne la peine d'y associer l'aspect moral et social de notre société ?

Vénus a sa tête des mauvais jours, elle me regarde fixement, semble sur le point de s'exprimer ; elle hésite, s'arrête et s'éloigne en maugréant qu'elle ne veut pas de ces lois morales hypocrites !

Je me tourne vers le Proviseur :

— La prochaine fois j'irai à la conférence et ne manquerai pas de vous donner mon avis.

The following week, I entered with my students and blended in with them easily. I took a seat in the back of the room with them. Vénus sat close by and nervously tapped her pencil on the table. Her wildly disheveled hair which surrounded her mischievous face made her look like a cat ready to pounce on its prey. Lamia and Maha were on my right and spoke to each other, softly giggling. Marie-Thérèse and Isabelle had opened their notebooks and pen in hand, had begun to write. Isabelle looked particularly sad and pensive. She was very beautiful, with her long, shiny, straight hair, her white blouse accentuating her Madonna-like face.

For the first half hour, the doctor spoke of sexuality in scientific and graphic terms, with explanatory visual aids. He explained and drew the genital organs, menstrual cycles, uterus, ovaries, vagina, ovulation, penis and copulation from puberty to conception, from giving birth to lactating and to menopause.

The last half hour was given over to questions and answers. A young girl asked if it were possible to get pregnant without having sexual relations. The doctor said that it was a very good question, and that he knew of cases of young girls who were still virgins and who had found themselves pregnant after foreplay with a man without full penetration; this was why he counseled young girls who were "serious" and "of good families", such as "all of you here", he added, to refrain from such foreplay! The sexual act could only be beautiful and desirable within a favorable mental and social context. "I already spoke about this last week," he added, "but I can't repeat it enough: within the sexual act, you must always think of your responsibilities towards family and society. This is why a young lady must keep herself mentally pure, and physically a virgin until marriage!"

La semaine suivante, je fis en sorte d'entrer avec mes élèves avec lesquelles on me confondait facilement. Je pris place tout derrière, avec elles. Vénus se tenait à deux pas de ma chaise et tapait nerveusement de son crayon sur la table. Les cheveux fous et en désordre auréolant sont visage espiègle, elle faisait penser à un chat prêt à bondir sur sa proie. Lamia et Maha se tenaient à ma droite et se parlaient tout bas en ricanant. Marie-Thérèse et Isabelle avaient ouvert leur cahier et, stylo en main, commençaient à écrire. Isabelle avait un air particulièrement grave et réfléchi. Elle était très belle avec ses longs cheveux lisses et brillants, son chemisier blanc faisant ressortir un visage de madone.

La première demi-heure, le docteur parla de sexualité dans des termes scientifiques, graphiques avec schémas d'explication à l'appui. Appareil génital, cycles menstruels, utérus, ovaires, vagin, ovulation, pénis, copulation furent expliqués et dessinés de la puberté à la fécondation, de l'accouchement à la lactation, et à la ménopause.

La dernière demi-heure fut consacrée aux questions-réponses. Une jeune fille demanda s'il était possible de tomber enceinte sans avoir eu de rapports sexuels. Le docteur dit que c'était une très bonne question, qu'il connaissait des cas de jeunes filles encore vierges s'étant trouvées enceintes à la suite de jeux sexuels avec un homme sans acte de pénétration entière ; c'est pourquoi il conseillait aux jeunes filles sérieuses et de « bonnes familles », "comme vous toutes ici" ajouta-t-il, de se garder de tels jeux ! L'acte sexuel ne peut être beau et souhaitable que dans un contexte social et mental favorable. "J'en ai déjà parlé la semaine dernière", ajouta-t-il, "mais je ne pourrai jamais assez le répéter : dans l'acte sexuel, il faut toujours penser à vos responsabilités envers la famille et la société. Voilà pourquoi la jeune fille doit se garder pure mentalement, vierge physiquement jusqu'au mariage !"

Near me, Vénus was getting more and more agitated and seemed ready to burst, Lamia and Maha were giggling more and more, and even Marie-Thérèse and Isabelle were scribbling more nervously on their paper, sketching the visuals.

I raised my hand:

"You have been talking about young women, but shouldn't the young men also come to marriage as virgins because you demand it of the young women? Isn't it important for both of them to arrive with the same sexual knowledge in order to blossom in equality? How can one construct a just society if half of this society is maintained in a state of inferiority? Isn't it more favorable for a true exchange if both partners have the same experience? The "foreplay" before marriage that you seem to be condemning is encouraged by a good number of psychologists and sexologists across the world who see in this a better preparation for the brutal wedding night, as it is practiced in some countries including ours unfortunately, that renders so many women frigid!"

The doctor listened to me as an intruder he would have preferred to ignore. He responded in a tone that was even more professorial:

Près de moi Vénus s'énervait de plus en plus et semblait prête à éclater, Lamia et Maha ricanaient tout bas de plus belle, même Marie-Thérèse et Isabelle gribouillaient de plus en plus nerveusement sur leur papier, dessins à l'appui.

Je levai la main :

— Vous parlez toujours de la jeune fille, mais ne faut-il pas que le jeune homme arrive aussi vierge au mariage puisque vous l'exigez de la jeune fille ? N'est-il pas important que l'un et l'autre se retrouvent avec le même bagage sexuel pour s'épanouir dans l'égalité ? Comment construire une société juste si la moitié de cette société est maintenue dans l'infériorité ? N'est-ce pas plus propice à un véritable échange que les conjoints aient les mêmes expériences ? Les « jeux » d'avant le mariage que vous semblez condamner sont encouragés par un grand nombre de psychologues et sexologues à travers le monde qui y voient une meilleure préparation à la brutale nuit de noce, telles qu'elle se pratique dans certains pays dont le nôtre malheureusement, qui rend tant de femmes frigides !

Le docteur m'avait écoutée comme une intruse qu'il aurait préféré ignorer. Il répondit d'un ton encore plus professoral :

"A woman becomes frigid when a man does not know how to initiate her to her sexuality. It is therefore necessary for the man to have certain experiences before marriage that allow him to know a woman's body and to teach his young wife how to have a fulfilling relationship and about her sexual role. Since the act of copulation is procreative, a woman must not have the same experiences as her husband before marriage to him, for he must be able to shape her according to his desires. This is why so many societies have created a class of women, known as prostitutes, called more justly, girls of pleasure, or easy women, who properly initiate virgin men and teach them the games of love and sex. These women are indispensable to good societal balance. But these will not be the women who will marry! All the young girls here aspire to a respectable life, don't they? They must therefore remain a virgin and honor their future husband and the children they will bring into the world. They will make their husband proud and satisfied!"

I was shocked by this discourse. I had already heard these words elsewhere, in other places, other circumstances, and I had fled them. Here, they had the same effect, I also felt like escaping, but I had to stand firm for all these young girls for whom I had a responsibility as their counselor. How could the yoke of such a cruel and unjust society be reversed, how to abolish the double standards? How could this society demand political justice while it closed its eyes upon such moral injustices in the personal realm? How could one help this country to stand up while it crushed half of its population? Yes, I had already heard this sermon. And this Doctor, in all his superiority and masculine self-sufficiency, I had already encountered in other forms in this extremely patriarchal society where the males believed that all was allowed for them and they held the power of life and death over women!

— Une femme devient frigide quand l'homme ne sait pas l'initier à sa sexualité. Il est donc nécessaire pour l'homme d'avoir certaines expériences avant le mariage qui lui permettent de connaître le corps de la femme et pouvoir former sa jeune épouse à une relation épanouissante et à son rôle sexuel. L'acte de copulation étant procréateur, la femme ne doit pas avoir les mêmes expériences que son mari avant le mariage car il doit pouvoir la modeler à ses désirs. Voilà pourquoi la plupart des sociétés ont créé une classe de femmes, connues sous le nom de prostituées, appelées aussi plus justement filles de joie, ou femmes légères, propres à initier les hommes vierges et à leur apprendre les jeux de l'amour et du sexe. Ces femmes sont indispensables au bon équilibre de la société. Mais ce ne sont pas ces femmes qui seront épousées ! Toutes les jeunes filles ici aspirent à une vie respectable, n'est-ce pas ? Elles doivent donc se garder vierges et honorer leur futur mari et les enfants qu'elles mettront au monde. Elles rendront leur mari fier et satisfait !

Je pris le choc de ce discours. Ces mots je les avais déjà entendus ailleurs, dans d'autres lieux, d'autres circonstances, et je les avais fuis. Ici ils me faisaient le même effet, j'avais aussi envie de fuir, mais je me devais de tenir bon pour toutes les jeunes filles dont j'avais la responsabilité en tant que conseillère. Comment renverser le joug d'une société si cruelle et injuste, comment abolir ce deux poids, deux mesures ? Comment cette société pouvait-elle revendiquer une justice politique alors qu'elle fermait les yeux sur de telles injustices morales dans la vie personnelle ? Comment aider ce pays à se relever alors qu'il écrase la moitié de sa population ? Oui, ce sermon je l'avais déjà entendu. Et ce docteur, dans toute sa supériorité et suffisance masculines, je l'avais déjà rencontré sous d'autres formes dans cette société patriarcale à l'extrême où les mâles se croient tout permis et ont le pouvoir de vie et de mort sur les femmes !

Among my students, some of them seemed not to ask themselves too many questions and drank in the words of the doctor as if they were gospel. I wondered if it were not better to leave them in a state of acceptance of the established norms. What would they gain by opening their eyes? Married off by their family and initiated by their husband, might they be happier, accepting a life of submission, closed up in their houses, possibly veiled to protect them from the cruel gaze of others? Maybe that would be easier for these women! They would bring forth children of whom their family would be proud, who would perpetuate tradition or who would revolt, it didn't matter!

Something deep within me said that I was wrong, that to give up faced with such a difficult task was cowardice, that it was my duty to speak to them, that while talking with them, I would save a few of them from despair, from a life devoid of meaning from which some would one day perhaps awaken, with bitterness; but tracked, they would have no alternative, no way out. I had to warn them, in some way, open their eyes. But how? It was my duty to open their eyes, to broaden their outlook, make them see other possibilities; even if I only saved a small number of them, it was worth it. I would speak to them, I would show them horizons that were not shut off to them by restrictions and taboos, I would give them wings so that they could fly if necessary toward other skies, I would paint rainbows for them to give them hope!

The bell rang, the Doctor had finished. The young girls were leaving the room. Vénus turned towards me, her face full of questions.

"So? It's crazy, isn't it? As for me, I refuse these injunctions!"

Parmi mes élèves, certaines aussi ne paraissaient pas se poser trop de questions et buvaient les paroles du médecin comme paroles d'évangile. Je me demandai s'il ne valait pas mieux les laisser dans l'acceptation des normes établies. Que gagneraient-elles à ouvrir les yeux ? Mariées par leur famille et initiées par leur époux, peut-être, me disais-je, seraient-elles plus heureuses ainsi, acceptant une vie de soumission, enfermées dans leurs maisons, éventuellement derrière un voile protégeant du regard cruel des autres. Peut-être serait-ce plus facile pour elles ! Elles feraient des enfants dont leur famille serait fière, qui perpétueraient la tradition ou se révolteraient, cela n'avait pas d'importance !

Quelque chose au fond de moi me disait que j'avais tort, qu'abdiquer devant une tâche peu facile était de la lâcheté, qu'il était de mon devoir de leur parler, qu'en leur parlant je sauverais quelques unes d'entre elles du désespoir, d'une vie vide de sens dont quelques unes se réveilleraient peut-être un jour, avec un goût amer ; traquées, elles n'auraient pas d'alternative, de porte de sortie. Je devais les prévenir, leur déciller les yeux en quelque sorte. Mais comment faire ? Il était de mon devoir de leur ouvrir les yeux, de leur faire voir autre chose, d'autres issues ; même si je n'en sauvais qu'un petit nombre, cela valait la peine. Je leur parlerai, je leur montrerai des horizons non fermés par les interdits et les tabous, je leur donnerai des ailes pour qu'elles puissent s'envoler si nécessaires vers d'autres cieux, je peindrai pour elles des arc-en-ciel pour leur donner l'espoir !

La cloche avait sonné, le docteur avait terminé. Les jeunes filles quittaient la pièce. Vénus se tourna vers moi un grand point d'interrogation sur le visage.

— Alors ? C'est débile, non ? Pour moi, je refuse ces injonctions !

"I understand you Vénus, we'll talk about it some more, we must talk about it with the rest of the class, it's very serious, for you as well as for the country!"

I left the school with a terrible weight upon my shoulders. I saw my whole country bound with customs and ideas about women that I had rejected and from which I had fled; I found them still intact. Would I be able to change them? I was only a drop of water in a desert of barbaric and demeaning ideas and practices regarding women. What was inflicted upon women had inescapable consequences for men and all of society that could very well lead to violence and destruction. I trembled at the terrifying thought of it. I went to the sea's edge, to the Corniche; I walked for a long time in the brisk air that whipped across my face. The sea was furious; in my anger and suffering, I felt united with it. I wanted to change things, and now I understood how difficult that was. The sun slowly descended; in one fell swoop, it dove and left me in darkness!

*As I watched the spectacle of it, my heart began to tremble. Night fell upon the world and upon my country. And the fourth one spilled his bowl upon the sun, and the divine aster burned men with fire, and they were all burned; they had been warned but they hadn't wanted to change. And I stretched my hands out to you, seeking consolation.*

— Je vous comprends Vénus, on en reparlera, il faut qu'on en discute avec le reste de la classe ; c'est très grave, aussi bien pour vous que pour le pays !

Je sortis du Collège un poids terrible sur les épaules. Je voyais tout mon pays aux prises avec des coutumes et des idées sur la femme que j'avais rejetées et fuies ; je les retrouvais intactes. Arriverai-je à les changer ? Je n'étais qu'une goutte d'eau dans un désert de conceptions et pratiques barbares et avilissantes pour les femmes. Ce qui était infligé aux femmes avait inéluctablement pour les hommes et toute la société des conséquences qui pouvaient aller très loin dans la violence et la destruction. J'en frémissais de terreur. J'allai au bord de la mer, sur la corniche ; je marchai très longtemps dans l'air vif qui me frappait le visage.

La mer était furieuse, dans ma colère et ma douleur je me sentais à l'unisson avec elle. Je voulais changer les choses et maintenant, je me rendais compte de la difficulté. Le soleil descendait lentement ; d'un seul coup, il plongea et me laissa dans l'obscurité !

*Devant ce spectacle mon cœur se mit à trembler. La nuit tombe sur le monde et sur mon pays. Et le quatrième a versé son bol sur le soleil, et l'astre divin a brûlé les hommes par le feu, et ils ont tous été brûlés, ils étaient prévenus mais ne voulaient pas changer. Et j'ai tendu les mains vers toi pour être consolée.*

Achevé d'imprimer par Corlet Numérique - 14110 Condé-sur-Noireau
N° d'Imprimeur : 77884 - Dépôt légal : mars 2011 - *Imprimé en France*